練習不被人影響

內藤誼人 著

振り回されない練習「自分のペース」をしっかり守るための50のヒント

保持自己步調踏出舒適圈的50個實踐法

前言

「常常被迫負責不想做的工作。」

「不想參加聚餐，卻不知道該怎麼拒絕。」

「不能惹對方生氣，所以沒辦法想說什麼就說什麼。」

不想被別人討厭，盡可能想與別人和平相處。當這種想法越來越強烈，就會越來越顧慮別人的心情，也因此打亂了「自己的步調」。

與身邊的人溝通或是交流固然重要，但是選錯方法的話，就會踏上被別人耍得團團轉的人生。越是在意別人想法的人，以及越是敏感與體貼的人，越可能遇到這樣的問題，所以必須時時提醒自己。

現代人似乎都是自戀狂。

美國的大學通常會讓新生接受心理測驗，例如聖地牙哥州立大學的心理學教授珍圖溫吉（Jean M. Twenge）就曾拜託八十五所大學從一九七六年到二〇〇六年對新生實施心理測驗，並在收集了一萬六千四百七五人份的資料之後，分析各世代的自戀程度。

結果發現，從一九八二年開始，自戀程度就持續上升，到了二〇〇六年之後，有三分之二的學生的自戀分數高於一九七九年到一九八五年的平均分數，有三成學生的自戀程度上升。

盡管這是美國的資料，但日本的情況也極為類似。現代人比以前的人更以自己為中心，更不在乎別人，任性的人應該也會越來越多。

正因為任性的人越來越多，我們才需要練習「不被別人耍得團團轉」。對於活在現代的我們來說，這絕對是不可或缺的技術。

請大家在讀完本書之後，學會「保護自己的方法」，不要再被那些任性的人傷害。那些讓你感到疲倦的心理壓力應該也會如同融雪消失無蹤。

接下來，就請大家讀到最後囉！

目錄

*第3章 避開麻煩的人的方法

*第4章 改變行動，內心也會跟著改變

*第5章　培養不會動搖的自信

*結語

*參考文獻

第 1 章

被耍得團團轉是理所當然

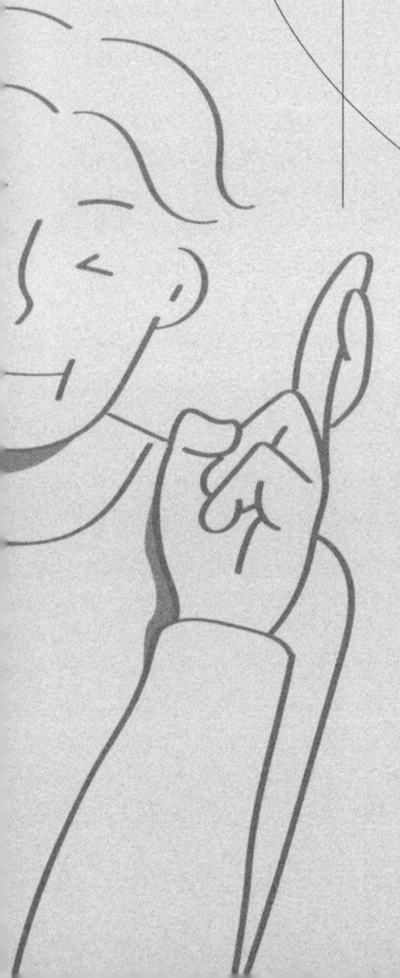

01

無法適應環境的變化也是無可奈何的事

新冠疫情平息後，社會一如往常地運轉著。能夠慢慢擺脫前所未見的疫情，的確是件值得開心的事情，可是，有些人卻是這麼想的。

「每天都要上班好煩喔！」

「一想到早晚要擠進電車這件事就好憂鬱。」

「好難跟上變化這麼快的社會喔……」

我們的心理與身體都已經習慣了前幾年的新冠疫情，所以就算是疫情爆發之前覺得理所當然的事，還是有不少人覺得很難跟上突如其來的變化。

有份資料說明了這個現象。

〆「想每天到公司上班」的人只有三．八%

學研控股公司的子公司「Bend」針對六百八十一位曾經遠距工作的人為研究對象，進行了問卷調查。

在「希望遠端工作的頻率多高」這道題目中，最多的回答為「一週五次（完全遠距工

九成以上的上班族希望繼續採用遠距工作

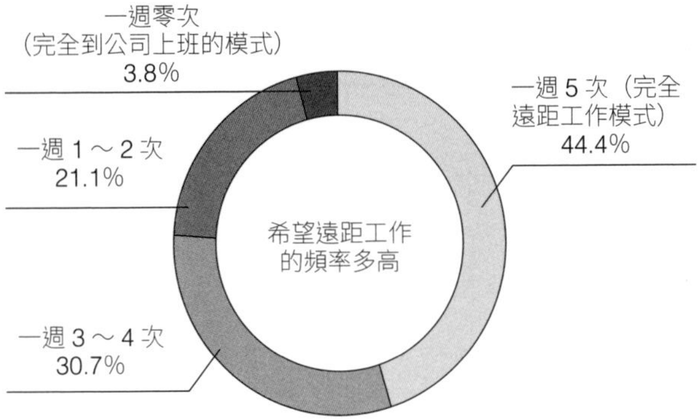

※ 調查期間為 2023 年 7 月 23 ～ 30 日，透過網路進行調查。
（來源：Bend 株式會社的問卷調查）

作模式）（四四．四％），其次為「一週三～四次」（三〇．七％）以及「一週一～兩次」（二一．一％），由此可知，有九六．二％的人希望繼續遠距工作。

另一方面，希望每天到公司上班的人只有區區三．八％。由此可知，大部分的人覺得因應新冠疫情的工作模式比較好。

業務效率真的會因為到公司上班而改變嗎？

回答「會與應該會」的人最多（四六．七％），但是問這些人到公司上班與遠距工作模式哪邊比較好的時候，有六四．七％，也就是超過半數的人認為「遠距工作模式的好處多於到公司上班」，理由是

「能節省通勤時間，自由的時間會增加」。

「因應新冠疫情的工作模式比較好。」或許有些人還不太敢光明正大地這麼說，這是因為就算曾有許多人感染，新冠疫情也已漸漸平息，但是疫情畢竟還沒完全消失。

「不過，事實上大部分的人都持有相同意見。」只要如此告訴自己，心情應該就能輕鬆一點才對。

02

追求恰到好處的結果比較幸福

「我怎麼能夠輸給那個人」

這種好勝心或許能提升自己的動力，但如果心中總是有個假想敵存在，內心就難以平靜。

當情緒如雲霄飛車般，一下子開心，一下子沮喪，我們就會變得非常敏感。也就難以保持自己的步調。

尤其內心纖細的人，更是應該避免與他人競爭，如果被迫與他人競爭，請如此告訴自己。

「我當個第三名就好」

絕對不要將目標放在第一名，追求恰到好處的位置就好。

第三名的滿意度比想像中來得高？

康乃爾大學的維多利亞梅德維奇（Victoria Medvec）教授曾分析巴塞隆納奧林匹克選手參加頒獎典禮的表情。

看起來最幸福的是金牌得主，這應該不難想像才對，可是若問看起來第二幸福是不是銀牌得主，這就不一定。

其實看起來第二幸福的是銅牌得主。

銀牌得主因為輸掉決賽才得到第二名，這份悔恨的心情讓他沒辦法單純地享受快樂，反觀銅牌得主只要輸了比賽，就拿不到任何獎牌，所以身為第三名反而更加開心。

如果公司內部舉辦了某種競賽或競爭，不妨從一開始就告訴自己「當個第三名就好」，不要讓自己捲入競爭的漩渦，心情也比較不會那麼疲累。

日本人本來就是重視「和諧」的民族，所以也有不愛競爭的一面。

佛羅里達州的羅林斯大學的約翰休斯頓（John Huston）教授曾針對日本人、中國人與美國人實施了相同的好勝心測驗，結果發現，日本人最不好勝。

早點從一決勝負的戰場撤退，是壓力較少的明智之舉。將勝利讓給對手也能營造「內斂」「帥氣」的印象，有助於提升自己的身價。

03

享受工作的祕訣在於「不要競爭」

不競爭的優點在於不需要承受多餘的壓力。

美國羅徹斯特大學的愛德華戴西（Edward Deci）曾讓男女各四十名參加者進行拼圖比賽。

比賽時，戴西讓同性的助手一起作業之餘，跟一半的參賽隊伍說「希望你們盡可能比對手更快拼好」，又跟另一半的參賽隊伍說「可以的話，盡可能早點拼好」

實驗結束後，有一段自由時間，戴西偷偷測量了這些參賽者多麼享受這次的拼圖競賽。由於實驗已經結束，所以拼得越久的隊伍越覺得「這個競賽很有趣」，最終也得到前一頁的結果。

不管是男性還是女性，不競爭就能在自由時間享受更多拼圖競賽的樂趣。

戴西提到，只要想與別人競爭，就會失去幹勁，也會覺得無趣。

〆工作是該開心投入的事情

或許那些會覺得工作無趣的人，都是因為一直與別人競爭的緣故吧。比方說，希望自己的業績比同事更好，希望在同期之中出人頭地，一旦想要競爭，工作就容易變得無趣。

不競爭反而能拉長遊戲時間

	競爭	不競爭
男性受測者	105.2 秒	143.1 秒
女性受測者	55.9 秒	170.8 秒

（出處：Deci,E.L.,et al., 1981）

我的意思不是所有的競爭都不好。

比方說，與自己競爭就是好事。

如果能夠比過去的自己更早完成作業，完成更優質的工作結果，那麼這樣的競爭當然多多益善。與自己的競爭會產生源源不絕的幹勁，也很像是在玩遊戲，所以工作應該會變得有趣。

請把工作想成自己的興趣，讓自己開心地去做就好，而且不要與別人比較。

04

越能創造成績的人，越不願競爭的理由

我們很常以為能在職場創造佳績的人，都是不會輕易服輸的人，或是常常與別人爆發衝突的人，但是要告訴大家的是，實際情況恰恰相反。

哈佛商學院教授葛羅伊斯堡（Boris Groysberg）曾於《機構投資者》這份雜誌調查六十二間投資銀行的分析師排行，同時也調查了這些分析師與同事之間的關係。

結果發現，越是頂尖的分析師，與同事的關係越是「良好」，根本找不到任何負評。

若問頂尖的分析師為什麼能爬上顛峰，答案是他們不會浪費精神與同事競爭。由於他們與同事維持了良好的關係，所以同事也樂意幫助他們，所以他們才能成為頂尖的分析師。

假設與別人的關係十分緊繃，就無法專心工作，也就無法創造佳績。

頂尖分析師非常明白這個道理，所以總是與同事維持良好的關係。

「希望你能幫我一下」

在此為大家介紹另一個實例。

貝爾實驗室在美國是非常知名科學研究機構，在這間實驗室工作的研究員都是各領域頂尖的技術人員或是研究者，但是研究員之間的實力還是會有落差，當然也有「明星級」的研究員。

在調查這些位於前一五%的「明星研究員」與其他研究員的差異之後，發現了一件非常有趣的事情，那就是明星研究員很積極打造自己的人脈。

明星研究員一遇到麻煩，立刻找得到「能夠幫忙一下」的人。一般的研究員總是自己解決問題。這就是兩者之間最大的差異。《有違常識的人際心理學》（相川充著，生活人新書）介紹了這個實例，也讓我們知道不管是哪個業界的菁英都與同事維持著良好的關係。

越是頂尖的人越積極與別人建立和睦的關係。或許大家會因為與想像中的不同而大吃一驚，但請大家記得，減少敵人、廣結善緣，工作也會跟著順利。

05

專家也會輸給壓力，所以你輸給壓力也很正常

職業棒球選手為了拿出最佳的表現，通常都會接受專家的心理訓練。

若問是不是接受了心理訓練就能視壓力於無物，事情當然不會這麼簡單，因為職業選手也是人，也常常輸給壓力。

美國佛羅里達州埃克德學院的馬克戴維斯（Mark Davis）曾針對三百位每年至少出場一百六十個打席的美國職棒大聯盟打者調查打擊率。若問為什麼要進行這項調查，答案是想知道他們在承受壓力時的表現。

大家都知道，下半局的壓力比上半局的壓力更高對吧？或許正是因為如何，上半局的平均打擊率約為兩成六二，但是下半局的打擊率卻掉到兩成四五。

此外，打者在面對無人出局與兩人出局時的壓力也不一樣，兩人出局時的壓力較大，所以打擊率也跟著下降。無人出局時的打擊率為兩成八六，兩人出局時的打擊率為兩成三一。

戴維斯的研究告訴我們，就算是職業選手，也無法完全擺脫壓力。

〆心靈脆弱的不是只有你

即使是職業選手，也無法在承受壓力的情況下發揮全力，所以平凡的我們輸給壓力也是理所當然的事，不可能拿出正常表現。

只要如此告訴自己，就不會那麼害怕工作壓力對吧？也能告訴自己「就算真的失敗，也不需要耿耿於懷」。

比方說，有些人在大家的面前說話時，聲音會發抖，會不知道該怎麼說，或是在客戶面前簡報時，都會自責「為什麼我總是沒辦法把話說清楚」。

如果你也有這類煩惱，不妨告訴自己「專家也沒辦法在承受壓力的情況下做好」，因為不管是哪個職業的專家，都會輸給壓力。

只要是血肉之軀，都會有相同的反應。

心靈脆弱的不是只有你。

只要如此告訴自己，就不會覺得失敗有什麼值得在意的了。

06

音樂能幫我們減輕壓力

看電視的時候，很常看到運動選手在熱身時戴著耳機聽音樂。或許有些人會覺得很奇怪，但其實戴耳機聽音樂這件事別具深意。

澳洲維多利亞大學的克里斯多福梅沙諾曾讓二十四位至少從事籃球比賽五年以上的男性籃球選手，以及十七位女性選手進行十次的罰球。

在沒有任何人在場的情況下，十次罰球的成功機率約為六成。

接著克里斯多福又請八位隊友在旁邊觀看受測者罰球，結果有可能是因為有人在旁邊看很有壓力，所以成功率降至五成左右。

最後，克里斯多福請受測者戴上耳機與播放蒙提派森的「光明前程」（Always Look on the Bright Side of Life），然後在隊友面前罰球，沒想到成功率居然上升至七成。

〆將音樂當成護身符

如果承受了巨大的壓力，只要聽音樂，心情就能放鬆，也能拿出超乎想像的表現。

容易緊張以及平常就很不安的人，不妨在智慧型手機放一些喜歡的曲子，讓自己透過這些曲子放鬆心情。

音樂也能當成護身符使用。

只要一直告訴自己「動聽的曲子能讓我保持平常心」，之後就算沒聽音樂，也能讓自己的心情沉澱下來。我也是很容易緊張的人，所以總是讓自己隨時有機會聽音樂。

不管是哪種音樂都可以，請大家務必替自己找到各種「讓自己心情沉澱」的音樂。

07

會感到壓力
是因為
你很優秀

剛剛介紹了壓力造成的影響，但其實壓力也能幫助我們前進。

或許大家會覺得「真的假的？」但真的是如此。

因為只要懂得轉換，就能讓壓力轉換成助力。

橄欖球是紐西蘭的國球，其國家代表隊黑衫軍的選手隨時都承受著巨大的壓力。

那麼這些選手是如何面對這些壓力的呢？

奧塔哥大學教授肯荷吉曾採訪黑衫軍的教練與選手，希望了解他們面對壓力的方法。

結果發現，教練很擅長讓選手肩上的壓力轉換成幹勁。他總是對選手說「感到壓力是一種特權，只有是公認的強者才能感受到壓力」，讓選手充滿幹勁。

弱隊是不會有壓力的。如果被所有人認為「無論怎麼掙扎也不會贏」，是不會被任何大眾媒體報導的。大眾媒體之所以會瘋狂報導黑衫軍，是因為黑衫軍是強隊。黑衫軍的教練總是如此告訴選手。

如果你也在職場感受到壓力，就試著將壓力轉換成助力吧。

〆「這麼一來，我也能更上一層樓」

「這麼難的工作之所以會交給我，是因為我值得期待」

「就是因為對方覺得我是個能幹的人，所以才會拜託我」

重點在於該如此告訴自己。

許多厲害的工匠在接到困難的訂單時，總是會邊說「這下難辦了」，邊露出開心的笑容。或許正是因為接到很困難的工作，才讓他們「點燃了鬥志」。換言之，壓力的確可以轉換成助力。

被交辦沒做過的工作或是不同領域的工作時，大部分的人都會覺得有壓力，但這時候不要說什麼「怎麼辦」，而是要說「看起來好像很有趣」。

如果因為工作太困難而拒絕，就無法累積經驗。越是在這種時候，越是要開心地告訴自己「這麼一來，我也能更上一層樓」。

08

別人不太在意你的缺點

我們無法客觀地評估自己。

明明我們很懂得從別人的眼中看自己，自己卻很難正確地評估自己。不習慣提出意見，總是被別人耍得團團轉的人更是如此。

加拿大英屬哥倫比亞大學的林恩奧爾登（Lyn Alden）曾召集擅長提出意見的人與不擅長提出意見的人接受提出主張的測試。

她以角色扮演的實驗為由，請這兩組受測者拒絕對方的請求，或是提出與對方不同的意見，再詢問受測者「你覺得自己是否順利地提出自己的想法了呢？」

結果不擅長提出意見的人回答「自己的聲音都在發抖，覺得沒有順利提出想法」或是「覺得自己不知道在說什麼」，給自己非常低的評價。

接著讓其他的評審觀看受測者在提出意見之際錄製的影片，以及問這些評審「你覺得影片裡的這個人是否清楚提出自己的意見」，結果評審覺得，不管是擅長提出意見的人，還是不擅長提出意見的人，都順利地提出了自己的意見，而且看起來很鎮定。

由此可知，覺得自己「沒有順利提出意見」不過是當事人的錯覺，而且別人也覺得當事人已經清楚地表達了自己的想法。

〆替自己打高一點的分數

我們很習慣替自己打很差的分數，但這不過是自我否定的成見。

或許我們覺得自己的手與聲音在發抖，但是旁邊的人根本感覺不到這件事，所以建議大家告訴自己「只有自己覺得自己很糟，其他人根本不這麼覺得」，奧爾登的實驗也告訴我們，事實的確如此。

許多人覺得對自己嚴格是種美德，也只有這樣才能成長，但是過度自責甚至到了霸凌自己的程度，就顯得走火入魔了。

大家不妨試著替自己打高一點的分數吧。

09

告訴自己能被三成的人喜歡已經是再好不過的事情

我們不可能認識一百個人，然後讓這一百個人都喜歡我們。不管我們多努力，總是會有人討厭我們，所以「被所有人喜歡」是件緣木求魚的事情，也是不切實際的願望。就連在藝人最受歡迎排行榜總是名列前茅的日本藝人貴婦松子與綾瀨遙，還是有不少人討厭她們，所以就算是這麼有魅力的人，還是一定會出現詆毀她們的人。

由於大受歡迎的藝人都不可能討所有人歡心，我們這種沒沒無名的平凡人更不可能讓所有人滿意。

所以要請大家不要對被討厭這件事過度反應。

請大家告訴自己「認識一百個人之後，如果其中有四十個人，不對，如果有三十個人喜歡你，就已經足夠了」，一旦能夠這麼想，就不會太在意別人有口無心的閒言閒語。

〆理所當然地接受被討厭這件事

加拿大麥基爾大學教授希嘉利多羅南曾針對在五間連鎖飯店工作的二百三十一位員工進行調查，發現越是在意被同事拒絕的人，越容易感到壓力，也越容易心理疲勞，成為燃燒殆盡的族群。

大家千萬不要對被討厭這件事過度反應。

而是要告訴自己，被討厭是稀鬆平常的事情，就算真的被討厭，也要覺得只是發生了理所當然的事情。

被別人討厭或是拒絕時，只需要擺出「喔，所以呢？」的表情即可，因為被討厭真的是司空見慣的事情，所以要提醒自己，別每次被討厭都過度反應。

老實說，在十個人裡面，有二或三個人喜歡你，就已經及格了，建議大家不要再對被別人喜歡這件事抱有過度的期待。

專欄1 「期待」是劇毒

前面提過，會覺得有壓力是因為「對自己有期待」，所以不妨將壓力視為助力。

雖然壓力常把我們耍得團團轉，但這不失為面對壓力的好方法。對自己有所期待能讓自己開心與充滿幹勁，也能讓自己變得樂觀。

但這其實是雙面刃，一旦對自己過度期待，就會承受更大的壓力，換言之，期待也是一種劇毒。

在此要為大家說明如何面對別人對我們的期待。

位於挪威奧斯陸的挪威體育科學學院的蓋亞尤雷曾調查一九八二年到二〇〇六年的足球世界盃 PK 記錄，以及一九七六年到二〇〇四年的歐洲冠軍聯賽 PK 記錄。

結果發現，越是荷蘭、英國這類獲得許多獎項的強國，「PK 越容易失敗」。英國的 PK 成功率為六七．七％，荷蘭則為六六．七％。順帶一提，非足球強國的捷克的 PK 成功率為一〇〇％。

為什麼足球強國的選手反而容易在 PK 的時候失敗呢？

理由就是壓力。PK 對於踢球的一方有利，射門的難度也不高。

所以「射門成功」這種期待便重重壓在踢球的一方，而這就是壓力，所以過度的期待會導致失敗。

〆一開始就先降低門檻

工作也有相同的情況。

一旦對工作抱有多餘的期待，這些期待就會變成壓力，讓你無法保持平常心。如果覺得對方對你的期待過高，不妨先跟對方說「不要那麼期待啦」，試著降低門檻，才能發揮真正的實力。

由於我已經出了接近三百本的書，所以有時候編輯會對我抱有過度的期待。

「只要內藤醫師願意幫我們寫書，這本書肯定會變成暢銷書籍」

每當聽到這種話，我都會立刻否定。

「不敢當不敢當，我會全力以赴寫書，但不敢保證一定能賣得好」。

若不先這樣降低對方的期待，我就會緊張得沒辦法好好寫書。書賣得不好時，我總是能從對方的眼中看見失望，所以建議大家趁早降低對方的期待。

第 2 章

找回自己的步調

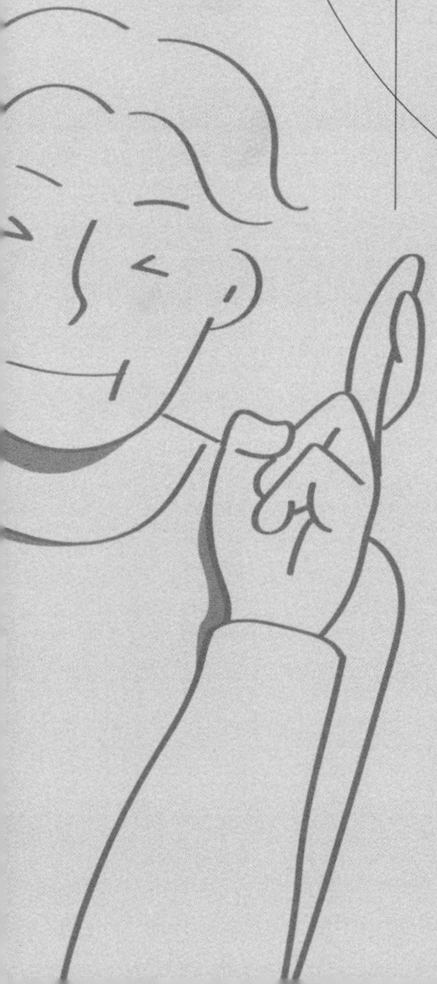

10

早上坐在辦公桌前，應該思考的事

工作的產能由開始工作時的心情決定。

「今天的會議好像會很激烈，好煩啊」

「製作資料、企劃書、開會……今天有三件工作，真的是忙得快死了」

大家是不是也曾帶著這種心情上班呢？

在開始一天的工作之前，請先調整心情，了解自己被哪些負面的情緒困住後，再想一些正面的事情。

某項心理學實驗指出，先這樣提高動力，就能提高工作的產能。

美國賓夕法尼亞大學教授南西羅絲巴德（Nancy Rothbard）曾邀請大型保險公司的電話行銷部分、客戶服務部分與客訴處理部分的人，進行為期三週的調查。

至於是什麼調查，答案是每天早上坐到辦公桌之後，開始工作時的心情。請這些人告訴她，是帶著興奮的心情開始工作，還是煩躁的心情，也請這些人根據公司的記錄告訴她當天的工作產能，而這個工作產能以通話時間、登入電腦的時間長度、每個小時播打電話的次數衡量。

最終得到很有趣的結果。

假設開工時的心情很正面，當天的工作產能就很高，反之，心情若是很負面，工作產能就比較低。

常言道「不管做什麼事情，開頭最重要」，工作也是一樣。開心地上班，一整天的鬥志都會很高昂，也能以自己的步調完成工作。

〆早餐吃黃色的食物

「說是這麼說，但我不知道該怎麼做，才能保持開心啊，能不能教我一點祕訣呢？」

我知道有些讀者可能會這麼想，所以就讓我教大家保持開心的方法。

方法很簡單，就是在早餐的時候吃黃色的食物。黃色食物能幫助我們分泌多巴胺這種快樂荷爾蒙，所以每個人都會因此變得幸福。

英國《周日快報》這份雜誌指出，回答早餐吃了歐姆蛋之後，覺得自己活力滿滿的人有六一％，吃了起司通心麵而覺得自己活力滿滿的人有五五％，香蕉則是五五％，至於鬆餅則是五四％。

總之只要是黃色的食物都可以。個人覺得香蕉比較方便，所以推薦吃香蕉。

有些人不吃早餐，但吃黃色的食物，讓自己大量分泌幸福荷爾蒙再去上班，工作效率會高得讓自己嚇一跳。有機會請大家務必試看看。

11

大部分的上司都不需要「誠實的意見」

進入社會之後，就必須了解場面話與真心話的差異。我們的社會生活充斥著各種場面話。基本上，只要順著場面話行動，就不會出什麼問題，一旦太過當真，反而會失敗。為了不讓自己被別人的場面話牽著鼻子走，就要懂得聽出場面話背後的真心話。

比方說，上司在開會的時候說「大家不管想到什麼，都可以提出來」。假設你把這句話當真

「那就讓我發表自己的看法……」

然後提出與上司的意見完全相反的看法，上司的臉色有可能會越來越差，接著你也會遭受許多人的反駁……想必這類情況會在任何公司上演吧。

上司那句「什麼都可以提出來」只是場面話，目的是為了營造「每個人都能參與會議」的假象，上司真正想要的是大家認同他的提案。或許有些人會抱怨，既然如此，幹嘛要在一開始的時候說什麼場面話，但大家必須了解的是，這種不合理也是社會的一部分。

〆太過老實會無法生存

美國俄亥俄大學教授史蒂芬卡爾曾針對在製造工廠與保險公司工作的人調查，他們對

「老闆的命令必須絕對服從」有什麼看法。

結果在某個部門擔任管理職的人，有八八％提出反對的意見，理由是「我們公司不需要唯唯諾諾的人」。不過，一般員工則有三七％贊成，其他部分的管理職則有八〇％的人反對，贊成的只有一〇％，然後該部門的一般員工有一九％贊成。

上位者的想法不一定跟下位者的想法一致。

就算是反對「老闆的命令必須絕對服從」的上司，聽到部下提出反對的意見，也會覺得不開心，所以這不過是上司的場面話。一般員工都知道這點，所以只會聽命行事。

不能過於誠實地看待事物。

誠實是好事，但是「過於誠實」會害自己陷入困境。

加拿大多倫多大學教授索尼亞甘提到，就算是高舉「我們公司歡迎多元性的員工」，也不一定就能夠接受少數族群，在錄用員工時，還是有可能會歧視少數族群，「歡迎多元性的員工」這句口號終究只是漂亮話。

許多人常常分不清場面話與真心話。

說漂亮話是沒辦法在這個社會生存的，請大家務必聽出真心話，別被場面話欺騙。

12

保持「低調」才能明哲保身

許多商業書籍都會提到「創造力」（Creativity）這個詞彙，意思是要我們今後成為一個有創意的人。許多企業也大喊「我們需要有創意的員工」，但真的是這樣嗎？

答案當然不是。

大部分的企業都不需要這樣的人。

賓夕法尼亞大學教授珍尼佛慕勒（Jennifer Mueller）曾請受測者分組，再討論「航空公司該怎麼做，才能提高利潤」這個題目。

接著她要求一半的受測者「提出極富創意的意見」，以及要求另一半的受測者「提出中規中矩的意見」。

被要求提出創意的受測者提出了「在飛機設立賭場」這種天馬行空的意見，而被要求正常意見的受測者則提出「讓飛機餐收費」這種保守的意見。

討論結束後，要求受測者評估其他的受測者。結果發現，越是天馬行空的受測者，越不受其他受測者青睞。

想必是因為這些天馬行空的人太過標新立異，所以才給別人一種不正經的印象吧。

〆能夠穿便服去公司嗎？

基本上，保持低調就不會犯錯。

就算公司說「明天是休閒日，穿便服來上班也沒問題」，我也還是會穿正裝上班，因為這樣絕對不會有錯。

就算派對的邀請函寫著「穿得簡單一點」，大部分的人也不會穿著平常穿的衣服參加派對。

雖然社會的風氣不斷轉變，但是人心不一定能跟得上。如果不知道「穿得簡單一點」這句話是真是假，不妨問問自己「最大公約數」的服裝是什麼，答案一定會是「正裝」。

一如「槍打出頭鳥」這句話，如果想要做一些標新立異的事，很難不給別人壞印象。

保持低調或許容易被責備，但只要保持低調就不會被身邊的人翻白眼，也能平安地度過每一天的話，那麼何樂而不為呢？

13

凡事預設最糟的下場，讓內心多一點從容

我們總是把事情想得太天真。

比方說，我們在處理工作時，會預設每個步驟需要多少時間，但是這類預設通常只在正常的情況下成立。

團隊成員有可能突然身體不適而請假，客戶有可能得晚一天才能交貨，也有可能在最後才發現問題，一旦發生這類預料之外的事情，你就得重新檢視之前擬定的行程，也會因為調整這些行程而忙得團團轉。

為了避免遇到這種痛苦，在安排行程時，一定要預設最糟的情況。只要這麼做，就能在發生意外時，平心靜氣地調整行程。

加拿大西門菲莎大學教授羅傑布爾勒（Roger Buehler）曾要求正在準備畢業論文的大學生預設「論文要幾天才能寫好」，結果得到「三三．九天」這個平均值。可是最後發現，這些大學生寫好論文的平均天數為五五．五天，與他們的預設有相當的落差。

接著布爾勒又請大學生預測「在最糟糕的情況下，需要幾天才能完成論文？」，結果學生回答「應該需要四八．六天」。

就算已經預設了最糟糕的情況，與實際的天數還是有相當的落差，但至少比較接近實際情況。

在規劃工作的行程時，不管是員工人數、預算還是工作天數，都需要預設最糟糕的情況，之後才不會遇到麻煩。

〆「乾脆絕交算了」

人際關係也是一樣。

比方說，你跟朋友為了一點小事，鬧得不歡而散。回家後，你告訴自己：

「明天應該就能和好如初了吧」

這就是太過天真的想法。這時候該告訴自己「最糟不過就是絕交」。請大家想像一下，隔天不跟朋友說半句話的情況，然後確認自己會因此覺得無所謂還是很難過。如果覺得無所謂，不妨告訴自己「乾脆絕交算了」，如果覺得很難過，就回想一下到底為了什麼吵架，自己有沒有什麼過錯，然後想一些道歉的說法……。

事前做好各種準備，心情就會比較從容。

如果到了隔天就和好如初，那當然是再好也不過，就繼續當好朋友。如果覺得有些尷尬，就執行前一天模擬的那些情況。

14

讓工作按部就班完成的「確認清單」

建議大家在工作的時候使用確認清單。

沒有確認清單，很可能會陷入「得趕快完成這件工作，但是那件工作也不能不趕快做」的恐慌，忙得分身乏術，有些人甚至會因此慌然失措，不知道該從何做起。

將十個或二十個該做的事情列成清單，再於每件完成的清單打勾的話，工作再多都能依照自己的步調依序完成工作。

只要按部就班地完成工作，就能慢慢地完成所有工作，而且在每件工作的旁邊打勾勾或是畫圈圈的時候，也能告訴自己「喔，已經完成這麼多工作囉，只剩下三件工作要做了」，順便掌握進度，心情也會變得更從容。

〆也能避免「粗心大意」

美國西密西根大學教授約翰奧斯丁曾請七位在高級餐廳的洗碗工與十一位外場服務員製作工作的確認清單。洗碗工的確認清單共有二十六個項目，外場服務員則有二十五個項目。

在沒有使用確認清單的時候，他們有時會忘記該做什麼事情，但是當他們使用確認清單，就再也沒有忘記該做什麼事情。

美國阿巴拉契亞州立大學教授潔西卡道爾也做過類似的研究。道爾請滑雪用具店員將「整理櫃台」「隨時保持垃圾筒淨空」這類工作製作成確認清單之後，所有員工都記得清潔店內環境。

在未使用確認清單的時候，櫃台就算有點髒，員工也不會擦乾淨，但是在使用確認清單之後，員工變得更主動打掃店內環境，整理環境的行為比之前還未使用確認清單的時候多出五二%。

不管是多麼大型的工作，請先製作確認清單再著手處理。

此時大家應該會發現，這些細分之後的工作沒那麼困難。

「原來比想像中簡單啊」

當你的心情放鬆，工作就能更順利地完成。

15

「列表」能讓你的心情不再煩燥

各位讀者可曾徹底研究煩惱的根源？不難想像的是，會購買本書的讀者，煩惱的根源大概都是那些「害自己被耍得團團轉的事物」。不過，這些事物若不是煩惱的根源，恐怕讀了本書也無法解決煩惱。

如果無法掌握煩惱的本質，就會越來越煩燥，許多人也曾有過類似的問題。如果被某些煩惱或問題干擾，第一步得先找出原因。

哈佛商學院教授湯馬斯・維戴爾-維德斯伯（Thomas wedell-wedellsborg）曾針對一百零六位企業高層進行調查，發現其中有八五%的企業高層無法正確診斷組織的問題。比方說，某棟大樓的房東接到居民投訴「電梯的速度太慢」。

大部分的房東都認為得換新電梯，才能解決問題，但這麼一來就得花不少錢。必須花大錢才能解決問題的話，實在不算是好方法。

〆如何解決等電梯的煩燥感？

維德斯伯認為，這個居民的「等電梯問題」不需要換新電梯也能解決。只需要在大廳的牆壁裝面大鏡子即可。

這個問題的本質不在於「電梯的速度太慢」而是「居民等電梯等得不耐煩」。意思是，要讓居民不會覺得不耐煩只需裝面大鏡子，因為我們可以花好幾個小時看著鏡子裡的自己也不會厭煩。這可說是讓人不再覺得等電梯很煩的妙招。

由此可知，看透煩惱與問題的本質有多麼重要。

比方說，你一直覺得某個人的發言讓你不舒服，但你不知道為什麼。這時候不妨試著列出可能的原因。

一、聽起來像是被對方責備

二、覺得對方那副「我比你還行」的嘴臉很討厭

三、不喜歡自己的心情被別人隨便定義

不同的原因有不同的解決方法。假設原因是「一」，只需要感謝對方指出自己的問題即可，如果原因是「二」，則可以告訴自己「學到了不知道的事情」，假設原因是「三」則可告訴自己「對方讓你有機會確認自己真正的心情」。

解決煩惱的方法不需要太完美，因為重點在於養成洞悉煩惱本質的習慣。如果發現自己很煩燥，不妨先列出理由，光是這麼做，心情就有可能變得開朗。

16

越容易感到不安的人，危機管理能力越高

雖然「不安」常被視為負面的情緒，但本書要建議大家將「不安」這種情緒解釋成「不安是件好事」。

GRE是在進入美國或加拿大的研究所之前，都必須先考過的考試，而哈佛大學教授瑞米賈米森（Jeremy P. Jamieson）曾針對某個準備接受GRE考試的組別說「或許大家覺得不安會讓你無法發揮實力，但最新的研究指出，不安會幫助你考出好成績」。

三個月之後，瑞米賈米森請各組別回報自己的GRE分數。結果發現，知道「不安能幫助考出好成績」的組別的平均分數比其他組別高出了六六分。順帶一提，GRE的滿分為三四〇分。

會覺得不安絕對不是壞事。

說得更精準一點，不安是動力的來源。大家不妨在覺得不安的時候告訴自己「我真幸運」或是告訴自己「正因為我是緊張兮兮的人，所以才不會犯什麼大錯」。

〆因為第一次的考試失敗，所以第二次才考得很好

美國聖母大學教授蘇薩娜納斯可（Susanna Nasco）曾經請二百九十三位大學生在一個月之內，接受兩次考試，結果發現，越是在第一次考試考得不好的學生，越能在第二次考試取得高分。

為什麼第一次考不好的人，反而能在第二次考好呢？

答案是第一次考不好的學生會因為「再這樣下去不行」的不安而努力準備考試，所以才能在第二次考試的時候考出好成績。

工作也是一樣，容易緊張的人往往比天生樂觀的人更能做好工作。

容易緊張的人總是會為了撫平心裡的不安而準備好一切。比方說，要外出跑業務，在客戶面前提出簡報的時候，容易緊張的人總是會一再彩排，或是準備備案，以備不時之需。

「一直感到不安」不是什麼悲觀的事情。

越容易不安的人，越懂得管理危機。

只要像這樣換個角度思考，心情也能變得更輕鬆。

17

就算內心產生動搖，只要等個一週，心情自然就會沉澱

我們的內心其實比想像中堅強。

或許有些人覺得「我的抗壓力很差」，但其實這只是過度低估自己的心理素質而已。我們的內心沒那麼容易遭受挫折，也沒那麼容易破碎。

我們的身體被細菌或是病毒入侵之後，免疫系統會自動驅逐這些細菌或是病毒。每個人感冒的時候，體溫都會變高，而這是為了打敗細菌與病毒。大部分的細菌與病毒都怕熱，所以體溫上升是為了保護我們。就算不吃藥，大概躺個二至三天，感冒就會痊癒。

至於抑鬱與沮喪的心情，就是心理的感冒。就算變得很憂鬱，也不用太過緊張，因為我們的內心會慢慢地恢復正常。所以不需要內心一出現動搖就急得找方法解決。

〆相信內心的自然痊癒能力吧

配偶過世，剩下一個人留在世上，的確會讓人很悲傷，但是紐約市哥倫比亞教授喬治波南諾（George A. Bonanno）認為，此時不需要接受多數心理學家推薦的心理諮商，因為大部分的人都能在失去某段人際關係之後自行振作，越是接受心理諮詢，心靈的痊癒能力就變得越差，情況甚至有可能因此變得更糟。

意思是，就算不接受心理諮商，內心還是能夠恢復健康。

失戀、考試考不好、被開除，這些事情都會讓我們的內心產生極大的動搖，但是就算我們什麼都不做，內心還是會慢慢恢復正常，因為內心的痊癒能力遠比我們想像來得更高。

請各位讀者回想一下過去的經驗。

各位是否曾遇過非常痛苦的事情呢？那現在覺得如何？

是不是覺得「那時候的確很受傷，但現在卻不覺得怎麼樣」

如果之後又遇到什麼難過的事情，請大家回想一下過去的人生，如此一來就能告訴自己「事情總有一天會過去」，也就能克服眼前的痛苦。

就算遇到動搖內心的意外，也不要因此慌張。

請各位告訴自己

「只要過個一週，眼前的煩惱自然就會消失」

好整以暇地面對煩惱吧。

18

遠離那些把自己耍得團團轉的「慾望」

除了別人之外，「慾望」也會把我們耍得團團轉。

除了被譽為三大慾望的「食慾」「性慾」「睡眠慾」之外，大部分的人都知道我們還有物慾、賭博慾以及渴望被認同的慾望。

這些慾望之所以難纏，在於這些慾望都伴隨著快感。

在此為大家介紹一個有關食慾的研究。

美國俄勒岡研究所（Oregon Research Institute）博士艾利克史泰斯（Eric Stice）曾邀請BMI三三的肥胖女性與BMI低於一九．六的苗條女性在實驗室絕食四至六小時。

接著告訴這些女性，接下來要進行一項有關味覺的實驗，再請她們喝下巧克奶著，然後利用功能性磁振造影（fMRI）這項特殊裝置觀察她們的大腦。

結果發現，肥胖組在喝到巧克力奶昔的瞬間，大腦的獎勵系統突然變得十分活躍，而苗條組沒有這種反應，換言之，肥胖組較容易從飲食「得到快樂」。

〆抑制慾望的「預承諾戰略」

越是讓人們容易感到快樂的事物就越不容易戒掉。

所以肥胖者為了追求快感，就只能繼續胖下去嗎？當然不是。

解決方案很簡單，就是避開食物。

只要看到美食，大腦的獎勵系統就會變得活躍，所以別讓自己看到美食即可。我把這種戰略稱為「預承諾戰略」。

比方說，去餐廳吃飯的時候，先跟店員說「用餐結束後，不要送蛋糕過來，不然我一看到好吃的蛋糕就會忍不住想吃」。

出門買東西的時候，也不要接近甜點或是冰淇淋的專區。一看到好吃的東西，我們往往無法抑制內心的慾望。

愛喝酒的人則是不要接近那些熱炒店或是居酒屋林立的地區，如此一來，大腦的獎勵系統就不會被刺激，也就不會產生慾望。

一旦產生慾望就很難抑制慾望，無論多想透過理性抑制慾望，往往都會失敗。如果不想被自己的慾望牽著鼻子走，最理想的方式就是避免產生慾望。

專欄2 如果不想過著忙碌的人生

常言道，「都會人冷漠，鄉下人熱情」，但這似乎不只是俗諺，更是事實。都會通常擠滿了人，所以要顧及每個人的心情真的很累，許多人也因此養成「不用管別人閒事」的思考模式。

喬治亞南方大學教授肖娜威爾森（Shauna Wilson）曾在都會與鄉下做了一個有趣的實驗。

這個實驗的內容是，當她發現了行人，就走到行人前面，然後假裝掉了信封，測試行人會不會在十秒之內撿起信封。

結果發現，在鄉下進行這個實驗時，會跟她說「妳信封掉在地上囉」的人比較多。在都會區實驗時，大概有六〇%的行人會幫忙撿信封，但在鄉下則有八〇%的人會幫忙撿。

而且鄉下的行人也更快提供幫助。都會的人幫忙撿起信封的平均時間為五．六秒，而鄉下的人只需要三．七秒。

〆理所當然地提供幫助

西佛羅里達大學教授史蒂芬布里奇斯（Francis Stephen Bridges）也做過類似的研究。布里奇斯在都會區與小鄉鎮進行這個故意掉信封的實驗之後，都會區有三九・三％的人願意幫忙撿起信封，但是小鄉鎮的數據卻高達九二・九％。這個接近九三％的數據可說是非常高的比例。

住在鄉下的人看到有人遇到困難，都沒辦法置之不理。總是會理所當然地提供幫助。

如果住在都會，遇到「我們公司沒有半個人會跟我打招呼」這種問題的話，不如乾脆搬到鄉下去住。

越來越多公司將辦公室遷到大都會之外的地區，也累積了不少有關遠端工作的相關經驗，或許人住在鄉下，但在都會的公司任職會慢慢地成為一種選項。

〆讓你的心情沉澱的聲音

除了親切之外，還有其他推薦住在鄉下的理由。

美國阿拉巴馬大學教授路易斯巴吉歐曾拜託兩處長照中心在院內播放大自然的聲音，也就是將山林與大海的聲音當成背景音樂播放。

這兩處長照中心的患者的平均年齡為八十三歲。在未播放大自然的聲音時，約有五七．六一％的人會大聲吼叫，但是播放大自然的聲音之後，這個比例減少至五一．七％。

由此可知，大自然的聲音能讓心情沉澱下來。

其中最推薦的是水邊這種大自然環境。

英國艾塞克斯大學教授喬巴頓（Jo Barton）指出，在水邊走路有益心理健康。走在大河流經的河畔真的十分最美妙對吧。聽著潺潺流水的聲音，吹著清爽的微風，欣賞水鳥游泳的模樣，光是想像就讓人心曠神怡。

要搬到鄉下住當然會遇到很多困難，所以不太能因為一時心血來潮就搬家。

這時候，很推薦使用智慧型手機的 APP 代勞。

目前已經有一些 APP 能提供海浪聲、河川聲與各種大自然聲音，如果能在搭電車上班時，聽自己喜歡聽的聲音，就能讓自己的心情沉澱下來，面對接下來一整天的工作。

第3章

避開麻煩的人的方法

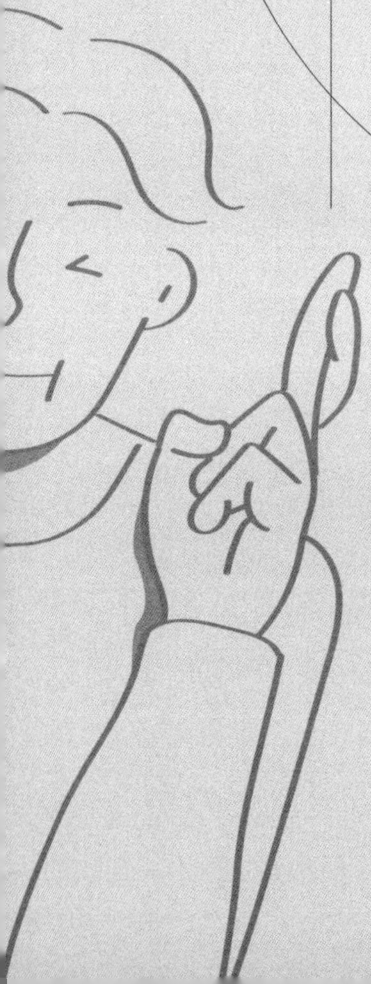

19

其實那種
成見正是
你的痛苦來源

我們的大腦很常莫名賦予某些人事物不同的印象，而這些印象有時會擾亂我們的步調，其中最麻煩的就是所謂的「成見」。

那個人一定討厭我。

所以才對我處處刁難。

其實就算對方是為了你好，你也會因為上述的成見將對方的親切曲解為刁難。一旦擺脫不掉這種成見，就會變得緊張兮兮，累死自己，當然也無法享受正常的人際關係。

有實驗指出，我們很習慣低估別人的善意。

〆這世上沒有壞人

哥倫比亞大學教授法蘭西斯佛林（Francis J. Flynn）曾問四十二名大學生「接下來要請你們採訪陌生人十分鐘。請大家想想，要成功採訪五人，得跟多少人打招呼？」

統計四十二名大學生的回答之後，得到平均「二〇．五人」的答案，也就是每四人會有一人願意接受採訪，四分之三的人會拒絕的意思。

實際請學生採訪陌生人之後，發現平均向一〇．五人打招呼就能達成目標，不需要向二十人打招呼。

接著佛林為了進行第二個實驗又問大學生「大家覺得要向三個人借手機，需要跟多少人打招呼？」

學生的答案是一〇．一人，但實驗結果卻是六．二人。

接著佛林為了進行第三個實驗又問大學生「這次的任務是請某個人帶你到有點遠的露營地，大家認為需要向幾個人打招呼，才會有一個人願意帶路呢？」學生的推測是七．二人，但實際結果為二．三人。

從這個實驗可以發現，我們總是過度低估別人的善意。

這世上的壞人比想像中少，大部分都跟自己一樣，是良善慷慨的人。

請大家快快放下「我的請求一定會被拒絕」這種負面思考。如果真的需要幫忙，就趕快向別人求援，因為雖然不是每個人都願意幫忙，但有相當高的機率能夠得到幫助。

20

總之先試說出來，就不會那麼煩悶

你是會直接了當說出需求的類型嗎？還是會等待別人察覺的類型呢？

謹言慎行固然是種美德，但太過小心翼翼會讓你離理想的人生越來越遠。

我們都沒有超能力，沒辦法了解對方正在想什麼，所以不說出內心的想法，對方當然不會知道你在想什麼。

比方說，你對薪資感到不滿。

「我們公司都不調薪水啊」

「要不要試著跟主管說『我希望調薪水』，試著爭取看看呢？」

「才不要，一定不會幫我調薪水的啦」

「所以你從來沒有爭取過？」

「對啊，一次都沒爭取過」

如果不跟公司反應「想要調薪」，會得到什麼結果？

照理說，「就是不會調薪」。如果不主動爭取調薪，公司（上司或總經理）會覺得，你對目前的薪水沒有任何抱怨。

〆說出口，就有機會

美國喬治梅森大學教授米歇爾馬克斯曾採訪一百四十九位各業界的新進人員（進入公司服務都未滿三年），請教他們都如何與公司談薪水。

其中曾與公司談薪水的人共有一百一十位，其餘三十九人則不曾與公司談薪水。

調查結果發現，只有曾經與公司談薪水的人調過薪水，未與公司談過薪水的三十九人沒有一人曾經調過薪水。這也是預期之中的結果對吧。

如果不主動爭取，「希望調高薪水」，只敢在心裡說「難道不能幫我調薪水嗎？」就得明白公司不會主動幫你調整薪水這件事。

人際關係也有類似的情況。如果你有什麼需求，就必須說出口。

說出口，就有機會，最糟的情況也只是什麼都沒改變，不會有任何損失，不對，說不定還能讓你的心情不再那麼煩悶。

21

要避開棘手的難題就要保持低調

如果同事或是朋友突然丟來一個「棘手的難題」，你或許還能抗議一下，但如果對方是地位比你高的人，恐怕就很難拒絕。

一旦拒絕，就會被貼上難搞的標籤，所以應該有不少人都因為這樣而勉為其難地接受。如此一來，當然會對對方充滿抱怨與憤怒，而這些如泉水般湧現的情緒也會讓我們的心理變得不健康。

突破這種狀況的方法就是「提出要求」。

假設，上司要你留下來加班，而且是免費加班。

「不好意思，這週能不能留下來加班？」

大部分的人聽到這種要求，通常會露出啞巴吃黃蓮的表情，逼自己接受這個要求，但這樣實在有礙心理衛生，所以這時候你該做的事情就是提出要求。

「呃，好吧，但加完班，務必請我吃頓飯」

這種不是太誇張的要求，對方應該會說「好啦，好啦，我會請你吃飯啦」，如此一來，你也比較不會有那種被強迫加班的感覺，也比較不會憤憤不平。

假設上司連這種要求就拒絕，就試著降低要求的等級，問上司

「那至少在加班結束時，請我喝自動販賣機的罐裝咖啡吧」

簡單來說，就是讓自己稍微能夠接受對方的要求，別讓自己完全聽命行事。

這招也可以用來應付要求調降商品價格的客戶。讓我們試著模擬交易的場景吧。

「從下次開始，能不能把價格從一個一百元調整成八十五元啊？」

「可以是可以，那可以把訂購的商品個數調整成現在的兩倍呢？」

可試著像這樣提出要求。

「這樣不會惹怒對方嗎？」或許大家會如此擔心，但其實不會。

懂得討價還價的部下才討人喜歡

北卡羅來納州立大學教授貝內特帖帕（Bennett J. Tepper）曾請三百四十七位隸屬於各企業的主管回想自己與部下的互動情況，結果發現，這些主管喜歡的是「懂得討價還價的部下」，而不是「拒絕」或「忽視」要求的部下。

上司其實不太討厭那些懂得說「這樣的話，能請你幫我做〇〇嗎？」懂得討價還價的部下，所以大家不妨安心地交涉看看吧。

22

巧妙地拒絕不想接受的邀請

「明明有話想說，卻不敢說出口」

「明明想拒絕，卻不知道該怎麼做，害自己悶悶不樂」

有不少人都有類似的煩惱，尤其突然被捲入這類事情時，最終通常只能吞下對方的要求。

要解決這種煩惱的方法之一就是「彩排」。

比方說，先在腦子裡想像「如果被邀去聚餐，但其實不想去」的場景，然後再試著思考該怎麼拒絕才不會引人側目。

「周末要陪小孩，所以這次只能婉拒了」

「最近從傍晚就會去健身房運動」

「其實最近做了健康檢查，醫師要我少喝點酒」

先設定一些台詞，再多彩排幾次，真的遇到上述的情況時，就能順利地說出這些台詞。

這種訓練在心理學稱為「行為演練法」。

〆為了順利地提出主張

美國威斯康辛大學教授理查馬克福爾曾邀請四十二位不知道該怎麼說出想法的人，然後請這四十二人接受行為演練訓練。

比方說，請他們想像「在排隊買電影票的時候，發現有人插隊」，然後思考自己該對插隊的人說什麼。例如對插隊的人說「別人也排了很久，請從後面開始排」。

請他們一再練習這些台詞之後，這些人就變得能夠順利說出自己的想法了。

未接受行為演練訓練的組別只有四六．一六%的人能夠清楚說出自己的想法，但是接受過行為演練訓練的組別有六二．九四%的人能夠清楚說出自己的想法。

我們常看到相聲家或是搞笑藝人在電視脫口秀節目講得口沫橫飛，但這些真的都是即興演出嗎？

當然不是！這些專家會先設計段子，然後一而再、再而三地演練，所以才能在攝影機前面聊得那麼精彩。

平凡的我們當然更需要演練。為了能夠順利地說出自己的想法，建議大家針對不同的場景，準備不同的台詞，然後不斷地進行演練。

23

試著在「一開始」說出那些難以啟齒的事情

「不知道該怎麼與年輕的新進員工相處」有不少中壯年的人都會如此抱怨。

他們覺得對年輕人太嚴格，就會害他們離職，所以總是不知道該怎麼跟年輕人說該說的事情。

因此有些人會採用溝通技巧書籍介紹的「三明治法」對吧？

順帶一提，三明治法就是先讚美對方，然後再提出對方該改進的部分或是相關的建議，然後再讚美對方的方法。由於負面的內容夾在正面的內容之中，所以這種方法才稱為三明治法。

不過，就實際的情況而言，三明治法似乎不太可行。

〆從負面的內容開始，再進入正面的內容

美國堪薩斯大學教授阿米亨利曾讓受測者模擬辦公室的事務工作（對折手冊，再將手冊放入信封），確認三明治法的效果。

亨利設定了多個條件，這些條件的內容請參考左頁的表格。

三明治法的效果不彰

第一條件	正面→負面→正面 （「很棒」）（「也要注意手冊的向」）（「做得很好喲」）
第二條件	正面→正面→負面
第三條件	負面→正面→正面
第四條件	控制條件（什麼都不說）

第一條件是典型的三明治法，但沒辦法讓受測者的工作效率提升。

令意外的是，效果最明顯的是一開始先說負面內容，之後再說兩個正面內容的第三條件。

由此可知，有事情要跟新進員工或是自己的部下說的時候，一開始就先說重點，效果比較好，之後當然不要忘記稱讚對方一、兩件事情。

24

不會被同事嫉妒或怨恨的方法

昭和最後一位內閣總理大臣竹下登是個幾乎不會與人為敵的人，也因此被譽為「最貼心的總理」。這位竹下大臣最常把「流汗的事情我做，功勞讓給別人」這句話掛在嘴邊。

這種態度很讓人想要效法對吧。

不會樹立敵人代表不會被人扯後腿，也不會被人找碴，換言之，能悠悠哉哉地度過人生。

美國北伊利諾大學教授史蒂芬妮赫娜岡曾針對四間不動產公司調查，能獲頒公司內部大獎的優秀銷售員都在想什麼。

結果發現，越能在公司內部競賽脫穎而出的人，越不會被同事嫉妬或是怨恨，而且都會將功勞讓給別人。

「不敢當不敢當，我能做得好，都是課長幫的忙」

「部下幾乎幫我做好了大部分的事情，我其實什麼也沒做」

「沒有某某先生的幫忙，事情不會這麼順利」

他們總是像這樣將功勞讓給別人，所以才不會招致別人嫉妬。

〆不要高估自己的貢獻度

一旦遭人嫉妒，就有可能在工作的時候被扯後腿，工作變得窒礙難行。所以要想避免這種情況發生，才建議大家把功勞讓給別人。

「這麼一來，努力豈不是得不到回報？」

「好不容易贏得的獎項豈不是會變得毫無意義？」

或許有些讀者會這麼想。

不過，就算將功勞讓給別人，周遭的人或多或少還是知道誰才是那個最辛苦的人。謙虛才能得到其他人的好評，所以不會發生努力得不到回報或是毫無意義的事情。

許多人的工作應該都是由團隊或團體一起完成，此時建議大家盡可能不要高估自己在團隊的貢獻度，也要時時保持謙虛。

不管是哪個業界還是哪種職場，自以為是的人通常很討人厭，而那些歉虛的人則不管走到哪裡都能受人歡迎。

25

對方的意見幾乎不會改變

當我們遇到意見與自己相左的人，往往會想要改變對方的想法，會利用各種方法試著說服對方，讓對方接受我們的意見。

不過，每個人的意見與信念沒那麼容易改變。

〆人類是頑固的生物

我們通常只會接受自己想聽的意見。

這在心理學稱為「一致性效果」。

哈佛大學教授凱斯桑斯坦（Cass R. Sunstein）曾讓相信「氣候異常是人類造成」的人閱讀「平均氣溫的上升速度不如預期來得快」的文章，結果這些人完全不接受這樣的內容。

接著再介紹另一個研究。

德國馬爾堡大學教授彼得納烏羅斯曾請常常打電動的人閱讀「電動會讓人產生暴力傾向」的報導，結果這些人都反對這篇報導，無法接受相關的內容。

基本上，我們只能接受與我們意見一致的意見。

就算遇到反對自己的意見，也不要與對方辯論。如果發現雙方快要吵起來，就立刻停止討論吧。可試著跟對方說「原來如此，你的意見也有可能是對的」，然後停止辯論，如此一來就能與對方保持關係，自己也不會因此感到疲勞。

就算你有合理的根據或是證據，也不要與對方爭得面紅耳赤，因為對方很有可能會因此變得感情用事，沒辦法理性地討論問題。

《直到早上都現場直播的電視節目》來賓們常常展現自己真性情的一面，很少為了迎合對方而改變自己的意見，由此可知，人類就是這麼頑固的生物，所以從一開始就不要與對方辯論。

如果快要與對方吵起來，就試著在某個空檔換話題吧。

26

告訴自己「今天對方的心情就是這樣」，放下內心的糾結

你是否總能說出真心話呢？

能充滿自信地說「是」的人應該少之又少吧。

為了讓人際關係變得更圓滑，我們總是會在各種場合說一些言不由衷的話。

這些場面話可不只是溝通的一部分。某個心理學的實驗指出，我們為了在人際關係佔得上風，有時候就是會說一些違背真心的話。

〆不要因為對方的反應忽喜忽憂

德克薩斯州 A&M 大學教授沙倫穆倫哈德曾問六百一十位女大學生，是否曾在被男性邀請時「覺得可以接受，最終卻說『NO』」呢？結果發現，居然有三九．三％的女性回答「有過」。由此可知，約有四成的女性沒說出真心話。

穆倫哈德繼續問這些女性拒絕的理由。結果有九成的女性回答「不想被當成隨便的女人」。

也有七五．七％的女性回到「想吊吊對方的胃口，讓對方更喜歡自己」。

雖然穆倫哈德的研究只調查了女性，但是將受測者換成男性的話，說不定會得到一樣的結果。

男性就算覺得「OK」，當然也有可能以各種理由說「NO」。

比方說，朋友或同事找你喝酒，你也真的想去，而且之前也都喝得很開心。此時你有可能會因為「再這樣下去，會被別人以為自己是個絕對不會拒絕聚餐，閒得沒事做的人」，而拒絕對方的邀請。

不想被別人看輕。

這種心情會讓我們言不由衷，採取違背真心的行動。

如果你也有過類似的經驗，只要互換立場，應該就知道為什麼。

被別人拒絕的時候。

稱讚別人，但別人似乎不太開心的時候。

不要因為對方的反應而忽喜忽憂，因為每個人都可能做出違背真心的反應。

「今天對方的心情就是這樣」

如此告訴自己，讓自己不要太在意對方的反應。

27

如何以自己的步調交涉

在體育競技的世界裡，在主場比賽比在客場比賽更加有利，因為在主場比賽時，觀眾會幫忙加油，而且也比較習慣場地，較容易發揮實力。

這種「主場效果」不只在體育競技的世界存在，也常見於商界。

加拿大英屬哥倫比亞大學教授格蘭姆布朗（Graham Brown）曾透過實驗確認在主場交易有利。

布朗請八十四組同性的受測者分別擔任咖啡機的賣方，以及準備購買咖啡機的旅館窗口，讓雙方進行交涉。

不過，為了強化主場效，他讓一人以上的人先來到於實驗使用的辦公室，並在辦公室的入口貼上自己的名牌，也請他們在五張椅子之中，挑一張喜歡的椅子，也讓他們從十二張海報之中，挑選二張貼在辦公室的牆上。此外，還請受測者在白板寫下自己的計畫，或是登入電腦，逛逛網路。

等到扮演賣方的受測者非常熟悉這間辦公室再請來扮演買方的受測者進佛交易。結果發現，先熟悉辦公室的人不管是負責扮演咖啡機賣家還是旅館窗口，都能主導價格。實驗結果可參考左表。

在主場交易時，比較能夠保持強勢

	主場	客場
賣方	7.06 美元	6.90 美元
買方	6.79 美元	7.12 美元

（出處：Brown , G., Bear, M.,2011）

由此可知，在主場真的比較強勢。

〆如果約好見面就先抵達約好的地點

如果跟對方約好在沒有主客場之分的場所進行交易，建議大家早一步抵達，然後熟悉場地，如此一來，就算該場地不算是主場，你也會有種待在主場的感覺。

就算不是交易，而是開會，也可以比對方早一步抵達約好的地點，例如咖啡廳，這麼一來，就能握有會議的主導權。

28

逃避麻煩的人，內心反而變得沉重

我們都不想跟麻煩的人相處，所以會偷偷地保持距離，盡量減少接觸對方的時間，應該有不少人都是如此面對討厭鬼。

這些心思有時會讓你亂了步調，或是讓內心變得沉重。

如果你也有類似的情況，不妨改變自己的想法，不要再逃避麻煩的人，而是反其道而行，試著擁抱對方。

在大型化學企業東麗脫穎而出成為董事的佐佐木常夫曾說，他還在業務部上班時，當時的上司非常麻煩。

因此佐佐木採取的方式就是試著討對方歡心。

當他拜託主管「請每兩週開一次會」

硬是讓主管空出時間開會。每次開會三十分鐘，與會者只有他跟主管。只要確定了開會時間，兩週只需要忍耐一次，而且每次只要三十分鐘，如此一來，平日就能完全不管上司，也能維持自己的步調。

如此開會一年之後，那位麻煩的上司調去當行銷部長，佐佐木便在內心大喊「太棒了，我總算解脫了！」可是沒過多久，佐佐木也被那位上司叫去行銷部。

所以佐佐木又故計重施，試著遠離這位上司。然而當這位上司被調去當塑膠事業部門的部門，三個月後，佐佐木又被叫去同一個部門。

這時佐佐木才總算發現，在他眼中，上司是討人厭的類型，但上司卻很喜歡佐佐木這個部下。佐佐木提到，自己能在東麗出人頭地，多虧了這位上司，他也十分懷念這位上司。

〆與其逃避，不如主動擁抱

佛羅里達國際大學教授瑪利雷維特的調查指出，在面對「最近五年是否遇到麻煩的人際關係」這個問題時，男性有六六．一％回答「YES」，女性則有七二．六％。可見這世上有許多人因為人際關係而煩惱。

雷維特又調查這些受測者是如此解決這個困境的，回答「自己主動搭話」的受測者為六九．三％，他們認為這個方法最有效。順帶一提，「躲開對方」這種方法似乎不太有效，只有二七．五％的人覺得這樣做有效果。

躲避討厭的人，無法從根本解決問題，反而會徒增壓力。建議大家下定決心，主動找對方說話吧，這麼做有可能讓對方喜歡你，也或許能讓你不那麼討厭對方。

29

一個讓「討厭」變成「喜歡」的魔法

人類都有「適應」的能力。

不管本來多麼討厭某個東西，只要多接觸，慢慢地就不會那麼討厭。不愛吃的蔬菜也一樣，只要逼自己吃幾口，慢慢地就不會那麼討厭，日後變得「很愛吃」的例子也所在多有。

人類也是一樣。

就算是那些讓你覺得

「生理不適」

「前世有可能是仇人」

的人，只要逼自己多接觸，慢慢地就不會那麼討厭對方。這在心理學稱為「單純曝光效應」。

〆「單純曝光效應」

愛爾蘭都柏林大學教授梅莉莎佩斯金（Melissa Peskin）曾請受測者瀏覽各種女性的圖片，然後詢問受測者，哪位比較有魅力。

有些女性的圖片只呈現一次，有些則出現達多六次，結果發現，出現越多次的圖片越有魅力。

就算一開始只是有點喜歡，在不斷看到同一張臉之後，我們就會漸漸習慣這張臉，進而產生莫名的「親切感」。

建議大家不要逃避麻煩的人，而是勇敢面對對方。想必大家已經知道我為什麼會如此建議了。

因為「我討厭對方」而逃避，是無法消除心中那份討厭對方的情緒的。

勇敢地向對方搭話，偶而跟對方出去吃吃飯，自然而然就不會那麼討厭對方，一如噪音，也是越聽越習慣對吧？同理可證，我們也可以越來越喜歡某個你原本討厭的人。

人類看似複雜，但其實有非常單純的一面。只是多接觸就能愛上討厭的東西，很讓人驚訝對吧。

這種策略的好處在於主動接近對方，就能消除心中的罪惡感，還能讓對方感受到你的善意與魅力。換言之，這是皆大歡喜的方法，也是雙贏的方法。

專欄3 與麻煩的人縮短距離的方法

剛剛提到了我們該勇敢面對麻煩的人，主動與對方縮短距離的內容，接下來要介紹三種有效縮短距離的方法。

⌖一起去唱卡拉OK

史丹佛大學教授史考特維爾塔馬斯曾讓受測者分成三人一組，再請他們在大學校園的周圍散步，也對某組提出「三個人的步調盡可能配合」的要求，但是沒對其他的組別提出同樣的要求。

等到受測者散步完畢，回到實驗室集合後，讓所有受測者從事得互相合作才能完成的遊戲，結果發現，剛剛被要求步調一致的組別更懂得彼此協調與合作。

較早期的公司會在朝會時，讓所有員工一起唱社歌或是做廣播體操。

從心理學的角度來看，這是非常高明的管理方式，能有效加深員工之間的羈絆、信任感與親感。

如今這種強制參加的活動已被汙名化為騷擾，所以越來越多公司不再這麼做，但若從

以相同的節奏打擊樂器，就能加深對彼此的親密感

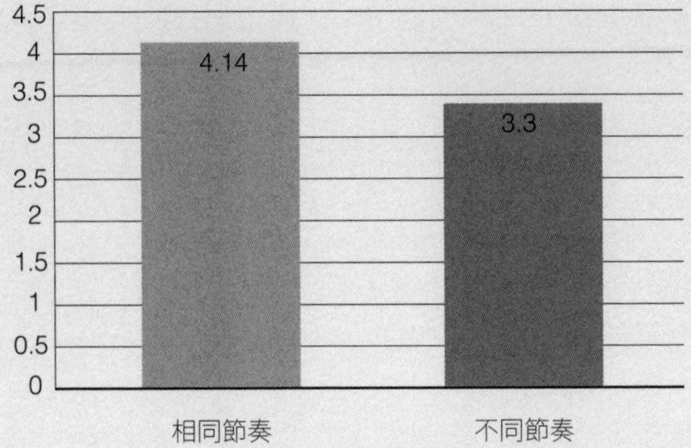

（出處：Rabinowitch T,C., et al.,2015）

上述的效果來看，不辦這類活動實在太可惜了。

如果想要與某個人一起做什麼的話，一起唱歌應該是最簡單輕鬆的方法。

選首兩個人都會唱的歌，然後把麥克風交給對方，再一起大聲歡唱。

說不定走出卡拉OK的時候，你已不再覺得對方很討厭或是很麻煩了。

⌖一起玩遊戲

耶路撒冷希伯來大學教授塔爾拉畢諾維奇（Tal Chen Rabinowitch）曾請來七十四組同性受測者，讓他們一起演奏電子打擊樂器，然後在他們面前擺了一個大螢幕，讓他們觀察自己與對方是以什麼樣的節奏打擊樂器。

事先拉畢諾維奇要求一半的組別與自己的同伴配合，以相同的節奏打擊樂器，再要求剩下的另一半組別以不同的節奏打擊樂器。

演奏結束後，請受測者回答，彼此的親密感有幾分。滿分是六分，結果請參考上頁。以相同節奏打擊樂器的組別覺得彼此較為親密。

就現實生活而言，我們不太可能找到可以一起打擊樂器的場地，但我們可以一起在智慧型手機下載音樂遊戲，然後試著一起玩。

⌖分享食物

芝加哥大學教授凱特琳伍利（Kaitlin Woolley）曾讓同性的受測者組隊，然後請他們品嘗一樣的食物或是不同的食物，再請他們分別扮演投資家與基金管理人的角色。

扮演投資家的受測者會分配到三美元，自行決定投資對象。資金管理人的任務則是讓投資家的金額翻倍，之後基金管理人可自行決定給投資家的報酬。

為了讓彼此賺取最多的利潤，投資家必須將三美元全部交給對方，此時基金管理人會得到六美元，所以可將六美元之中的三美元還給投資家，如此一來雙方都能得到三美元。

不過，也有可能會發現基金管理人不願意將六美元的一半還給投資家，而是自己留五美元，只還一美元給投資家這種情況。這代表就算你相信對方，對方也有可能背叛你。

這個實驗告訴我們一件有趣的事情。那就是事前一起分享相同食物的組別，扮演投資家的受測者平均會從三美元之中，拿出二．四美元給對方，而各吃不同料理的組別，扮演投資家的受測者平均會從三美元之中，拿出一．八六美元交給對方，從中可以得知，分享料理的組別比較相信對方。

分享料理能讓彼此交心。

雖然新冠疫情爆發之後，公司聚餐的機會減少了許多，但一起吃飯還是很適合拉近彼此距離的方法，有機會的話，建議大家多增加與別人一起用餐的機會。

第 4 章

改變行動，內心也會跟著改變

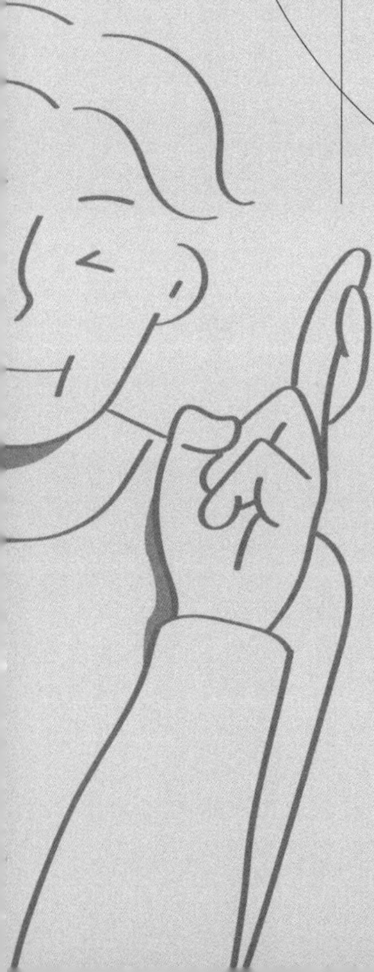

30

內心容易受傷
說不定是因為
姿勢不佳？

我們的心理與生理息息相關，所以本章要介紹一些運用身體的方法，讓大家的心理變得強大。

首先要矯正姿勢。

總是圓背、低頭，心情也會越來越沮喪。

反之，抬頭挺胸，心理也會變得強大。

某個心理學的實驗已驗證了這點。

〆抬頭挺胸就能迎接幸福的未來

西班牙馬德里大學教授巴勃羅布里諾爾（Briñol Turnes, Pablo）曾請七十一名大學生分成兩組，一組請他們維持良好的姿勢（挺胸，打直背部），另一組則請他們做出不良的姿勢（駝背），然後問他們，「你是否覺得自己的工作會一帆風順？」

如果有信心會一帆風順則選擇九分，如果完全沒有信心，則選擇一分，平均結果之後，得到了左方的圖表。

從這張圖表可以發現，姿勢正確的人覺得自己會一帆風順。

只是挺胸，心理就變得強大

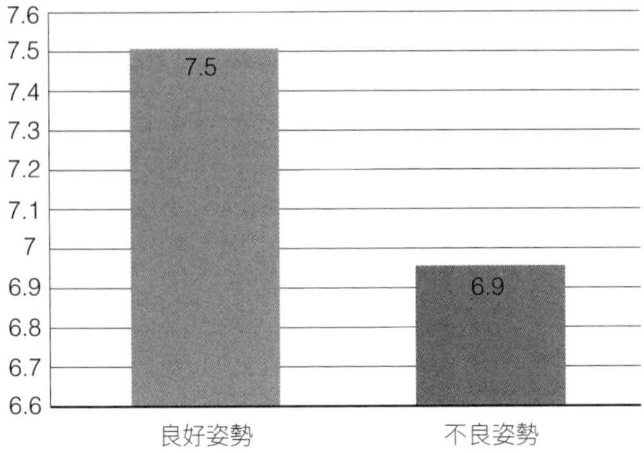

（出處：Rabinowitch T,C., et al.,2015）

如果大家覺得自己常常緊張兮兮，或是心情常常抑鬱，或許原因不是「內心軟弱」，而是「姿勢不良」。

變得沮喪，很難立刻振作。

建議大家平日多注意自己的姿勢。

挺直背部，挺胸，每天保持這個姿勢，內心就會變得足以承受各種不安。

31

下巴稍微上揚，看向遠方，自信自然湧現

有時候會在體育轉播比賽看到教練對著垂頭喪氣的選手大罵「給我下巴抬高」「給我抬起頭來」

若問為什麼要抬起下巴，那是因為下巴下垂的姿勢等於向對手投降。一旦變成這種姿勢，就不可能贏得比賽。

所以教練才會要求選手「抬高下巴」。

前面提過，駝背會讓心情變得低落，下巴下垂也會帶來同樣的影響。

別讓下巴下垂，隨時讓下巴保持微微上揚的角度非常重要。習慣微微揚起下巴之後，能讓自己覺得「我什麼都做得到」。

〆答題的正確率會提升

美國科羅拉多大學教授東尼羅伯茲（Tony Roberts）曾讓六十名男女大學生在下巴上揚或下巴下垂的狀態計算十九題數學題。

結果發現，在下巴上揚的狀態下，答題的正確率較高。

被要求下巴上揚的學生當然不可能都是比較聰明的人，因為該以什麼狀態答題全是隨機分配。

盡管如此，雙方之所以還是出現了明顯差距，是因為下巴上揚的組別「變得更有自信」，心情也更放鬆，所以答題的正確率跟著提升。

可以的話，請大家盡可能平日就保持下巴微微上揚的姿勢吧。

在上班的時候，盡可能能下巴微微上揚，讓視線望向遠方。只盯著路面的話，只會讓人失去自信。

另外要提醒的是，滑手機別滑太久。沉迷於網路、影片或是手機遊戲，會讓人不知不覺變成身體前傾的姿勢。

一旦因此出現「智慧型手機頸」（烏龜頸），心情就會越來越低落，也會出現頭痛、肩膀僵硬這類身體不適。

建議大家只在搭車通勤時滑手機。

微微抬起下巴，看看車窗外緩緩流動的風景，心情也會跟著變好，工作當然也會更順利。

32

透過「能量姿勢」讓虛弱的內心找回活力

覺得痛苦的時候，不妨模仿電影裡的英雄常做的姿勢。比方說，可以模仿超人力霸王（鹹蛋超人）、假面騎士或是光之美少女的姿勢

心理學將這類英雄的姿勢稱為「能量姿勢」，一旦做出這種姿勢，就會覺得自己真的變強，充滿能量。

或許有人會覺得「這是亂說的吧？」但其實已有許多研究佐證這件事。

英國劍橋大學教授李恩熙（音譯）曾請受測者在擺出能量姿勢之前與之後測量裝了書的紙箱有多重。

在擺出能量姿勢之前，平均推測重量為「三・一七公斤」，但在擺出能量姿勢之後，平均推測重量為「二・八三公斤」，代表擺完能量姿勢之後，會覺得東西變輕。

繼續介紹另一個相關的研究。

德克薩斯州 A&M 大學教授凱蒂蓋莉森（Katie Garrison）曾請受測者擺出能量姿勢（雙手枕在後腦杓，雙腳擺在桌上這種覺得自己了不起的姿勢）或是沒有活力的姿勢（雙腿緊閉，低頭坐著的姿勢），再模擬交易的過程，結果發現，擺出能量姿勢的人能夠取得比較好的條件，金額比另一組的人多出一・七一倍。

如果是在談判的時候，比較容易佔下風的人，不妨在談判之前先去一趟廁所，偷偷擺出能量姿勢一至二分鐘，或許就能以較強的氣勢談判。

〆也可以只握緊拳頭

「我有點不好意思擺能量姿勢」，或許有些人會覺得擺出能量姿勢很不好意思。建議這種人試著「握緊拳頭」。

葡萄牙里斯本大學教授湯瑪斯舒伯特（Thomas Schubert）曾讓實驗組以及控制組分別做出石頭（也就是握拳）與剪刀的姿勢，再接受心理測驗。結果發現，握拳的組別回答心理測驗時，顯得更積極、更有自信。

為什麼只是握拳就能變得更積極與更有自信呢？

答案是因為握拳是準備吵架的姿勢。一旦做出準備打人的動作，我們就會潛意識地切換成「戰鬥心態」，有可能就是因此而變得更積極。

如果覺得自己的內心變得軟弱，不妨試試這類看起來很強的姿勢。應該就會覺得力量從心底湧現。

33

跨大步、前後擺動雙手的走路方式能讓人覺得自己更幸福

前面提過，我們的心理狀態會因為姿勢而徹底改變，目前也已經知道，「走路的方式」也會對我們的心情造成明顯的影響。

大部分的人都不會注意平常的走路方式，但其實這是樂觀與否的關鍵。

美國佛羅里達州大西洋學院薩拉斯諾道格拉斯曾請受測者各走三分鐘。

他請一半的人在走路的時候，試著跨大步與前後用力擺動手臂，也請另一半的人縮小步伐，畏畏縮縮地走路。

道格拉斯在受測者走完路之後，測量受測者內心的幸福度，發現跨大步、前後用力擺動手臂的組別，覺得自己比較幸福。換言之，這種跨大步、雙手前後擺盪的步行方式能讓我們覺得開心。

「有時候就是覺得心情很糟糕」

「做什麼事情都不開心」

「不管吃什麼都覺得不好吃」

如果大家有這類症狀，不妨試著改變走路的方式。

試著讓雙手前後擺動，充滿活力地踏出滿一步，應該就會覺得「咦？心情好像越來越好」才對。

〆心情會超乎想像地變好

覺得身體的狀況不是太好時，這種走路方式可以帶來一些正面的影響。身體狀況不好時，有可能會覺得身體很沉重，此時不妨假裝自己很有精神，試著盡可能在走路的時候邁開步伐。

常言道「病從氣醫」，邁開步伐向前走，讓心情變好，或許就不會那麼在意身體的毛病。有時候我們會在公園看到邊用力擺盪雙手邊散步的人。

其實散步本來就有讓心情變好的效果，若是再加上用力擺盪雙手，就一定能讓人覺得更幸福，這可說是創造了一石二鳥的效果。

在街上或是人潮擁擠的車站用力擺動雙手走路的話，有可能妨礙別人，所以大家不妨在四周沒有別人的時候，試著邊擺動雙手，邊跨大步向前走。要注意的是，此時不是為了快點抵達目的地，而是為了讓自己的心情變好。

就算是當作被我騙，請大家有機會務必試試看。

你一定會被自己嚇到，因為心情會變得異常開朗。

34

「微笑」的效果常常被低估

就算不開心，也千萬不要擺出不開心的表情。

就算是假裝的也好，請盡可能擺出開心、快樂、活潑的表情，哪怕是強顏歡笑都好，因為就算是假裝的，心情也會變好。

如果是曾經讀過心理學教科書的人，或許學過「在難過的時候不要哭，因為一哭會變得更難過」的法則。這就是所謂的「詹姆斯-蘭格理論」（James-Lange theory）。

我們的情緒真的會隨著表情而改變。

不管心情再怎麼煩燥或是紊亂，也不要擺出不開心的表情。只要擺出微笑的表情，心情真的會越來越好。容易生氣的人不妨養成時時保持微笑的習慣，如此一來，就不會因為一點小事而煩燥。

德國曼海姆大學教授弗里耶史特拉克（Fritz Strack）曾請受測者看四種漫畫，再請受測者評價這些漫畫的趣味度。

不過，在請受測者看漫畫的時候，史特拉克請某組受測者帶著微笑看，請另一組的受測者以憂愁的表情看。

當史特拉克請這兩組回答四種漫畫的趣味度之後，發現微笑組給出的結果為滿分十分的五．一四分，而憂愁組的結果卻是四．三二分，這意味著帶著微笑看漫畫比較容易開心，而愁容滿面的表情則比較不容易開心。

✓試著訓練自己常保笑容

就算是強顏歡笑，也能讓心情變好，所以再沒有比這更方便的事情了。大家可試著在上班的時候、洗澡的時候、搭電車的時候，或是在任何空檔的時候，試著練習笑容。

微笑的訓練並不難，只要做出「一」這個發音的嘴型，嘴角自然就會上揚，之後只需要維持這個表情而已。

眉頭深鎖、表情暗淡的話，沒有人會想接近你，每個人都想待在微笑的人身邊。

如果不想孤獨地度過人生，就盡可能笑臉迎人吧，如此一來，就算不習慣主動搭話，或許別人也會願意主動跟你說話。

35

越是心情低落，越要讓聲音充滿活力

如果聽到喜歡的人跟你說「早安」，我們通常也會充滿活力地跟對方說「早安」。反之，若是討厭的人跟你問早，我們很可能有氣無力地回應他。

一旦心情低落，我們的聲音就會莫名地變得低沉，而當我們很開心的時候，聲音也會變得明亮有活力。

話說回來，我們似乎也能反其道而行。

如果心情很好，聲音就會充滿活力，那麼故意讓自己的聲音變得很有活力，心情也能跟著變好嗎？

事實上還真是如此。

〆比平常高一點的聲音更有效果

巴黎第六大學（又稱皮埃爾和瑪麗．居里大學）教授尚奧古切里埃曾試著讓受測者透過耳機監聽自己朗讀的聲音。

不過，受測者從耳機聽到的不是自己原本的聲音，而是利用變聲器，稍微調高音調之後的聲音。順帶一提，調高音調之後，聽起來像是開心的聲音。

結果發生什麼事情了呢？

受測者在聽到被加工過的聲音之後，都變得很開心。

這種充滿活力的聲音能讓自己變得幸福。

基於這個理論，建議大家平常發聲時，盡可能發出聽起來很開心的聲音吧。

具體來說，就是故意發出高一階音階的聲音。比方說，平常若是習慣發出「Do」或「Re」這種低音的聲音，心情也會變得很暗淡，所以不妨試著發出「Sol」或「La」這類高音的聲音，心情也會變得雀躍。

心情越是低落，聲音通常越是低沉。

所以要建議大家，越是在這種時候，越要試著拉高自己的聲音，如此一來，原本低落的心情也會漸漸變得高昂。

36

將不受打擾的場所當成緊急避難所

心思細膩敏感的人一受到刺激，往往會過度反應，比方說，突然聽到巨大的聲響或是不斷閃爍的燈光，都會產生比一般人更強烈的反應。

比利時根特大學教授蘇菲博特爾貝魯克發現「異常敏感的人」很害怕吵嘈的環境，在不受他人注目的時候，才能正常發揮，而且心情太過興奮就會睡不好，而且也特別怕痛。

越是敏感的人，越應該住在悠哉、被大自然環抱的鄉下，但有時候會因為工作而無法搬到鄉下對吧？那這時候該怎麼辦呢？

最好的辦法就是立刻避難。

〆躲進廁所，找回平常的自己

其實只要仔細觀察，都會還是有一些「刺激較少」的地方。比方說，沒人會來的逃生安全梯、屋頂，或是沒人的茶水間、資料室，只要花點心思，應該就能找到避難場所。

如果覺得自己的理智線快要斷了，就立刻避難吧。只要在沒人會來的地方反覆深呼吸幾分鐘，應該就能讓自己恢復平常心。

辦公室也有不被任何人打擾的地方，那就是廁所。請大家試著坐在廁所的馬桶上，閉上眼睛。如果覺得外面的聲音很吵，可試著戴上耳塞或是透過耳機聽點音樂，都是不錯的選擇。暫時失去視覺與聽覺一至二分鐘，心情就會慢慢沉澱下來。

就算是完全相同的刺激，每個人的感受都不同。對於十分敏感的人來說，哪怕是別人「不太在意」的刺激，會足以讓內心變得躁動。

請大家想像一下坐在公園的長椅，正在享受日光浴的畫面。結果有幾個小孩子來到公園玩耍，有些人會覺得他們的聲音「充滿活力，聽起來真舒服」，但有些人會皺起眉頭，覺得這些小孩「好吵」。

如果你是會對這些外部刺激過度反應的人，那肯定是心思敏感的人。如果知道自己是這類型的人，就為自己準備一個沒什麼外部刺激的場所吧。

37

一天五分鐘也好，暫時阻絕外部刺激

西班牙似乎有長午休的習慣，在西班牙語稱為「siesta」，日本的話，午休通常是一個小時，所以哪怕只有十分鐘，都建議大家睡個午覺，反正午睡也不可能真的睡上幾小時。

午睡的祕訣在於戴上眼罩。

若只是閉上眼睛，還是有可能覺得很亮，沒辦法真的休息。就算午睡的時間不長，戴上眼罩還是能夠熟睡。

也建議大家順便準備耳塞，讓自己不被周遭的噪音干擾。

加拿大英屬哥倫比亞大學教授彼得蘇德費爾德（Peter Suedfeld）曾拜託高血壓患者待在一片漆黑，沒有半點聲響的房間放鬆一會兒，結果發現，就算只是這樣，血壓也會降下來。

長期承受環境與外在的刺激，會讓我們一直處在情緒高亢的狀態。少了來自視覺、聽覺的刺激之後，心情就能跟著放鬆。這就是蘇德費爾德提倡的「感覺剝奪法」。

我們總是不斷地接收各種刺激，而當我們試著遮蔽這些刺激，哪怕無法完全斷絕，也能讓情緒不那麼高亢。此時最實用的道具就是眼罩與耳塞。

雖然閉上眼睛也能減少來自視覺的刺激，但是戴上眼罩更能完全地遮蔽刺激，所以也建議大家替自己準備眼罩。戴不戴耳塞，放鬆的程度也大不相同。

〆哪怕只有五分鐘也好

就算是午休，在公司午睡還是會很不好意思，也沒有適合午睡的地方。

此時建議大家戴上眼罩與耳塞，在辦公桌趴個五分鐘，光是這樣也能得到不錯的效果。記得先跟旁邊的人說「我要休息五分鐘」，請他們暫時不要打擾你。因為是午休時間，如此短暫的午睡應該不會引人側目才對。

在一整天的時間之內，為自己找一小段不受外在刺激打擾的時間，就能放鬆心情，重新面對之後的工作。

據說發明之王愛迪生覺得睡覺很浪費時間，所以總是日以繼夜地工作，但實情是，他常常睡午覺。愛迪生之所以能夠如此活力充沛，或許是因為他知道讓心情放鬆有多麼重要吧。

專欄4 試著激勵自己，提升士氣

我們心裡總是會有一些小心機。如果對自己有好處，就會開心地去做，如果沒有好處，就不會太積極。

此時能為自己提升動機的是「激勵」。激勵的形式有很多（例如現金、折價券、獎品），若問最有用的激勵是什麼，那當然是「錢」，只要能賺到錢，再怎麼討厭的事情也能欣然去做。

美國布朗大學教授南西貝內特（Barnett Nancy）曾請來十三位酒鬼，要他們在第一週像平常一樣喝酒，接著從第二週開始，戴上酒精感應手環生活。如果在這段時間能夠忍住不喝酒，就能得到五美元的報酬。

結果發現，在第一週禁酒的人只有八．八%，但是到了可以領到報酬的第二週之後，願意禁酒的人高達六九．二%，到了第三週也有六五．九%。

被別人勸「少喝酒」，很難真的戒酒，但是聽到「戒酒有錢可以領」，就會突然變得鬥志滿滿。

〆自己激勵自己

金錢方面的報酬不用太多。

哪怕一天只有一美元也沒關係。

這個計畫的內容是，她請來在十三歲到十六歲懷孕生子的六十五位女性，告訴她們只要避孕，一天就能得到一美元。

雖然一天一美元的補貼不多，但是在這個計畫實施五年之後，只有一五％的女性懷了第二個孩子，其餘八五％的女性都因為每天可以領到錢而努力避孕。

我們常以為所謂的激勵就是一大筆錢，但其實根本不是這樣。

哪怕金額不高，都能成為激勵，我們只要能領到不多的金錢，就會開心地配合。

如果接到不喜歡的工作，也可以為自己準備獎勵。效果最好的是錢，但自己給自己錢沒什麼意義，所以大家可為自己準備一個「稍微奢侈的禮物」

比方說，「在超商買平常捨不得買的高級甜點」，或是「不喝氣泡酒，改喝啤酒」，也可以為自己買一個「很想要的包包」，只要準備這類獎勵，應該就能解決痛苦的工作了。

第 5 章

培養不會動搖的自信

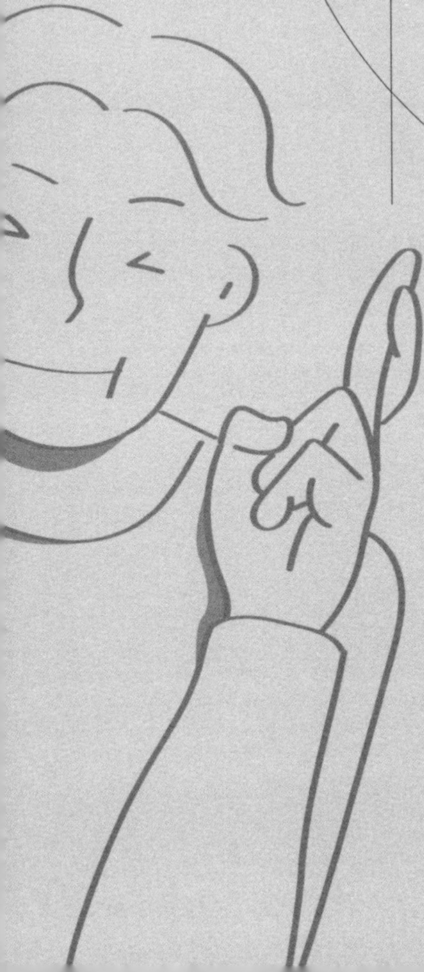

38

試著想像「眼前這項工作成功完成」的景象

負面的情緒可在換個角度思考之後，轉換成正面的情緒。

比方說，請大家想像一下自己突然被交辦難以負擔的工作。此時一定會問自己「我真的做得來嗎？」光是想像未來會有多艱苦，就會不由自主地緊張對吧？這時候請試著思考工作完成時的景象。

「如果成功完成這項工作，就能痛快地暢飲美味的啤酒吧」

「如果順利完成這項工作，就能去一直想去的地方旅行了」

這麼一來，內心應該會雀躍不已吧。

正因為緊張與不安，才能享受如此美妙的興奮。若只是一般的工作，絕對無法嘗到這份喜悅。

〆緊張與不安會讓人覺得更加痛快

法國蘭斯大學教授法比安雷古蘭得（Fabien Le Grand）曾問在佛日山脈主題樂園準備搭乘雲霄飛車的遊客「你覺得會有多可怕」，等到遊客體驗完畢之後，再問對方「你覺得搭雲霄飛車有多麼痛快？」

結果發現，搭乘之前越是不安，搭乘之後就越覺得痛快與興奮。不會覺得緊張與不安的人，也無法享受痛快感。

所以不會緊張或不安絕非好事。

其實我不太擅長演講，也不習慣在參加座談會的時候，站在大家面前發表意見。我總是非常緊張，甚至前一天都睡不好。

「既然這麼緊張，為何不乾脆拒絕演講的工作」或許大家會這麼想，但我是不會拒絕的。那是因為我雖然很害怕在眾人面前演講，但是工作結束後，卻能品嘗到言語難以形容的喜悅與興奮，那是難以想像的痛快感，也是為了享受這份美好，我才接下在眾人面前演講的工作。

前面提過，壓力會轉換成動力，緊張與不安也會轉換成興奮，所以壓力與不安這類負面情緒不只不負面，將負面情緒看成正面情緒或許還比較正確。

「很不想負責那些會讓我緊張的工作」

如果大家有這種感覺，不妨換個想法：

「真希望接到讓人更興奮的工作」

如此一來，一定能讓自己變得更強。

39

想像「超越極限的自己」就真的能超越極限

我們常常錯估自己的潛力。明明還沒撐到極限，卻先畫地自限，告訴自己「只有這點能耐」。

一如「覺得自己辦不到」就會真的「做不到」。

「我的實力不只如此」

「我還沒撐到極限」

「只要我能拿出實力，一定還能做得更好」

像這樣激勵自己，就能提升自己的表現。

從旁觀察超越「全速」的自己

英國諾桑比亞大學教授馬克史東曾透過一個非常有趣的實驗說明我們能夠輕鬆地突破極限。

史東讓十名公路車選手坐在健身腳踏車上面，然後以全速騎完四千公尺，也將這些選手全力騎車的畫面錄了下來。

過一段時間之後，一邊在選手面前的螢幕播放選手全力踩腳踏車的畫面，一邊請他們再騎一次四千公尺競速訓練賽程。

不過，史東有件事瞞著第二次進行訓練的選手，那就是他把第一次訓練時的影像播放速度稍微調快了（一〇二%）。

結果發生什麼事情呢？

答案是在進行第二次訓練時，這些選手都以超越想像的全速，更快騎完四千公尺。

當我們習慣某件工作，就會莫名地畫地自限。

會不自覺地跟自己說：「我最多就只能完成這些工作了」。

但根本不是這樣，其實你根本還沒看到所謂的極限。

大家在工作的時候，不妨想像一下「自己超越極限的模樣」。

你應該會在某一天突然發現自己已經輕鬆地超越了想像中的極限。

40

要注意的是自以為「辦不到」就會真的辦不到

大家可聽過舉重比賽的挺舉項目？就是先將槓鈴拉到肩膀附近，接著再高舉過頭，維持動作的競技項目。

在過去，挺舉項目有所謂的「五百磅瓶頸」，意思是，就身體構造而言，人類不可能舉超過五百磅（兩百二十七公斤）的重量。

可是這個五百磅瓶頸卻在某天被突破了。突破這項記錄的是俄羅斯選手巴雷里亞歷克西斯。

在突破記錄之前，他就是四百九十九磅的記錄保持人。他在某次大會以為自己舉起了四百九十九磅的槓鈴，沒想到秤量重量的大會工作人員失誤，不小心將槓鈴加到五百零幾磅的重量。

有趣的是，當亞歷克西斯突破了五百磅的瓶頸之後，其他選手也發現「什麼啊，原來五百磅不是什麼瓶頸啊」，之後便在短短的時間之內，出現了六位突破五百磅瓶頸的選手。順帶一提，只要搜尋一下就會發現，現在的挺舉世界記錄為五百八十四磅（二百六十五公斤），五百磅已經不算什麼了。

〆表現的好壞與自我認知有關

再為大家介紹一個有趣的例子。

美國維吉尼亞大學與德國馬克斯普朗克的成員曾進行一項與高爾夫球推球有關的實驗。

他們在二〇一一年發表的論文「Putting Like a Pro」指出，他們將四十一位有打過高爾夫球的大學生分成兩組，也在分組時，盡可能不要讓這兩組在經驗與技術出現明顯差距，然後再請這兩組大學生分別從二・一三公尺的距離推十球。

兩組使用的是相同的推桿。

不過，他們假裝告訴其中一組，他們使用的是於二〇〇三年英國高爾夫球公開賽奪冠的班柯提斯（Ben Curtis）使用的推桿，也鉅細靡遺地說明了班柯提斯的戰績（美國巡迴賽三次冠軍），再請這組進行測試。

另一組則直接進行測試。

最終出現了令人吃驚的結果。

被告知使用了班柯提斯的推桿的組別在十次的測試之中，進洞平均次數為五・三次，反觀直接進行測試的組別只有三·八五次。

順帶一提，他們使用的推桿不同於班柯提斯使用的推桿。

由此可知，當受測的大學生覺得「我使用的是知名選手的推桿」，就對推球更有信心。

我們的表現完全取決於我們是否相信自己。

相信自己，就能創造佳績。

反之亦然，覺得自己辦不到，就會產生不理想的結果。

41

不斷地練習是培養強韌自信的捷徑

鋼琴家會在練會曲子之後就不再練習嗎？當然不會，而是會繼續練習到底。因為他們知道，不這麼做就無法真的學會這首曲子。

鋼琴家這種學會之後再繼續學習的模式稱為「過度學習效應」。

如果想學會某種技能，必須在稍微學會之後繼續練習，才能得到真正的「自信」。稍微學會就停止練習，只能得到不太牢靠的自信，心中還是會有一些不安。要想消除這些不安，就要在訓練到覺得「已經夠了」再繼續訓練。

〆努力不會背叛我們

美國喬治亞大學教授史考特愛德溫曾請某位有學習障礙的男生朗誦小學生讀物三次或六次，然後每次都告訴對方發音有誤對部分。

之後又請這位男生繼續朗誦難度差不多的讀物。結果發現，只讀三次時，讀不太順，但是讀到第六次之後，就能讀得很順。

如果自以為已經學會就停止練習，其實往往還沒真的學會，必須再繼續學才能真的學會。如果不像這樣不厭其煩地學習，是無法掌握知識或是學會技術的。如果大家覺得自己

「做什麼都是半調子」，代表訓練得不夠，都是因為中途放棄練習才無法真的學會。日常的大小事也是一樣。

常言道，自以為熟悉工作時，才是最危險的時候，因為覺得自己學會了，就會停止學習，進而發生失誤。

就算已經學會了，還能一本初衷地專注在工作的每個細節上的人，才能毫無失誤地完成工作。只有不斷地這麼做，才能擁有顛撲不破的自信。

努力不會背叛我們，越努力，就越能告訴自己「我已經練習很多遍了，絕對不會有問題」，也會越有自信。

42

別忘記「別人是別人，我們家是我們家」這句話

就算小孩子硬要父母親買玩具、電動或是腳踏車，早期的家庭通常是不會幫小孩子買的，而且這時候父母親都會搬出下面這句話。

「別人是別人，我們家是我們家」

意思是，要懂得感恩，不能羨慕或是嫉妒別人。

「別人是別人，我們家是我們家」這句話也是難得的生活智慧，如果大家也想擁有幸福的人生，就不要再與別人比較。

尤其不要老是覺得別人比自己更有魅力，更有錢或是更有地位。

〆跟苗條的模特兒比較的話……

荷蘭蒂爾堡大學教授德克斯密斯特斯（Dirk Smeesters）曾以評估廣告的名義請來六十二位女大學生，也讓她們看了彩色廣告。

其中一組看到的是以非常苗條的女性為模特兒的廣告，某組看到的是以非常肥胖的女性為模特兒的廣告。

接著在這些女大學生評估廣告之後，請她們接受測量自信的測試，結果發現，看到

與優於自己的人比較會喪失自信

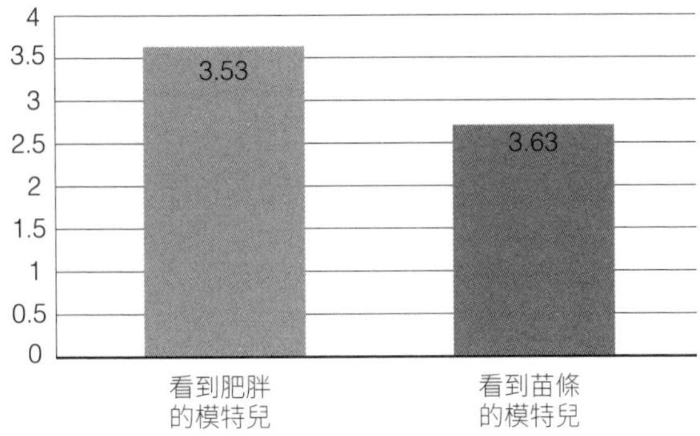

＊分數越接近 5 分，代表自尊心越高
（出處：Smeesters, D., & Mandel, N., 2006）

非常苗條的模特兒的那一組變得比較沒有自信。

這代表這些女大學生因為拿自己跟苗條的女性比較而失去了自信。

另外還有這個例子。

那就是於二〇二三年三月舉行的世界棒球經典賽（WBC）。在冠軍決賽開打之前，負責於球員休息室進行圓陣呼口號的大谷翔平選手如此要求隊友：

「今天不要仰慕對手」

接著又如此激勵隊友。

「對手的一壘有保羅．高施密特，中外野有麥可．楚奧特，外野有穆奇．貝茲，只要打過棒球，誰都聽過他們的名號，但是如果一直仰慕他們，就無法超越他們。我們今天就是為了擊敗他們，成為冠軍而來。今天就讓我們拋開對他們的仰慕，一心想著贏球吧」

結果就如大家所知道的，日本最終以三比二的分數打敗上一屆的冠軍，日本棒球代表隊也在前兩屆失利之後奪回冠軍。

43

用於排解寂寞的社群媒體會讓你身心俱疲

X（Twitter）、Instagram、TikTok、Facebook……。

這世上充斥著各種社群媒體，而且這些社群媒體的生態之蓬勃，已到了人人至少有一個社群媒體帳號的程度。

在此為大家介紹三個證明社群媒體對我們造成不良影響的研究。

澳洲弗林德斯大學教授葛蕾絲荷蘭德（Grace Holland）曾在報告指出，在社群媒體看太多魅力十足的照片，會對自己的身體失望，甚至會造成進食障礙。

我們可透過社群媒體迅速了解朋友的生活，卻也很容易因此產生嫉妒。

「真好，○○又去旅行了……」

「真好，○△有很多朋友啊……」

「□○今天去聚餐啊……」

我彷彿看到許多人出現了這類心情。這只會對心理造成多餘的壓力，所以我覺得從一開始不要使用社群媒體最好。

如果害怕完全戒掉社群媒體會恐慌的話，不妨先試試「戒掉社群媒體一週」，如果戒掉一週之後，還是想要繼續使用社群媒體，那再繼續使用就好。

〆休息一週，人生的滿意度就會上升

丹麥哥本哈根大學教授摩田多羅姆荷魯特曾拜託一〇九五位受測者停止使用 Facebook 一週。

結果發現，這些受測者在一週之後，更滿意自己的人生，也變得更正面積極。可見 Facebook 會讓他們不由自主地想與別人比較，讓他們的內心越來越脆弱。

戒掉社群媒體之後，不管別人做什麼，你都不會在意，也不會在意別人的眼光。

美國匹茲堡大學教授布萊恩普利馬克（Brian A. Primack）曾針對全美國十九歲到三十二歲的受測者進行調查，發現常使用十一種社群媒體（Facebook、X、Instagram 這類社群媒體）的人根本不覺得自己融入社會，反而更覺得自己「容易感到孤獨」，這真是令人驚訝的結果。

明明寂寞的人是為了排遣寂寞才使用社群媒體，沒想到有不少人因此感到更加寂寞。

要不要戒掉社群媒體必須從傾聽內心的聲音開始。如果你覺得這些社群媒體「莫名讓人疲倦」，戒掉當然是最好的選擇，如果覺得完全戒掉會不安，那麼就減少使用頻率吧。

44

替自己設定嚴格的「規則」

美國曾有一段學校秩序失常的時期。霸凌、破壞公物這類暴力有如日常三餐頻繁，學生也透過言語或肢體欺負本該尊敬的老師。

不過，從某個時期開始，這類暴力行為銳減。

這是因為導入了「零容忍」這條法律。「容忍」的英文是「tolerance」，另有忍耐、寬容的意思，而「零容忍」就是「不容許任何壞事發生」的規矩，一旦學生造成任何問題，一律直接退學，不會給予任何警告或是指導。

這不是先給學生口頭警告，再犯停學，情節嚴重再退學這種處罰慢慢升級的規矩，而是初犯就直接退學。

雖然有不少人批評「這樣未免太過嚴格了吧」，但這項措施的確重建了學校的秩序。

嚴格的規矩會讓我們不敢作怪。

沒達成的話，就不能享受「喜歡的東西」……

美國華盛頓大學教授彼得卡明古斯（Peter T. Cummings）發現槍枝本來是用來保護自己的道具，但在美國卻成為殺人或自殺的工具。

一九八九年，美國佛羅里達州制定了相當嚴格的槍枝購買條列，俄亥俄州、康乃狄克州也隨後跟進，實施了相同的法律。卡明古斯也針對這些州統計了槍枝意外的數據。

結果發現，這些州在實施相關的法律之後，槍枝造成的年度死亡率下降了二三%之多。

可見嚴格的規矩絕非壞事。

如果你也有非得完成的目標，不妨替自己設定嚴格的規則。

比方說，將想要達成的目標與「喜歡的東西」綁在一起。

「如果忍不住抽菸，就一滴酒都不能喝」

「如果一個月沒瘦三公斤，就取消下個月的旅行」

「如果沒有達成業績目標，就要把喜歡的手錶讓給後輩」

此時越是禁止喜歡的事情，效果就越明顯，也一定會更拼命完成目標。

長期受到如此嚴格的規則管制時，難免會讓人身心俱疲，所以請只在有非達成不可的目標時，再使用這種「零容忍」的手段。規則越嚴格，成就感就越大，也會讓你變得更有自信。

45

利用「自我暗示」成為理想的自己

聽說微軟創辦人比爾蓋茲從小就十分崇拜拿破崙，說不定他就是不斷地暗示自己「我也要像拿破崙那樣」，所以才能如此成功吧。

許多人都知道，版畫家棟方志功在小時候看到梵谷的畫之後非常感動，還跟身邊的人說「他要成為第二個梵谷」。

這種想像自己成為心中崇拜的人，能幫助我們培養自信，有機會的話，請大家務必實踐看看。

自我暗示其實一點都不難，只需要不斷地想像「我就是〇〇」。

不過，只是說個一兩次「我就是〇〇」，是不會產生任何效果的，必須不斷地暗示自己，直到覺得自己真的成為心中那位崇拜的對象為止。

〆：演奏能力與數學能力都提升

俄羅斯莫斯科大學教授弗拉迪米爾萊可夫（Vladimir lykov）曾以自我暗示為主題，進行了一項十分有趣的研究。

首先萊可夫暗示受測者

「你是俄羅斯作曲家謝爾蓋·拉赫曼尼諾夫」
「你是奧地利天才小提琴家佛里茲·克萊斯勒」
再開始演奏樂器，然後由專家評分。
結果發現，這些受測者在接受自我暗示之後，得分明顯變高，意思是自我暗示能讓演奏樂器的水準突然變高。
萊可夫接著對受測者暗示
「你是法國數學家亨利·龐加萊」
「我是俄羅斯數學家安德雷·科摩哥洛夫」
然後再請受測者解答數學問題，也發現受測者的分數提高了。
自我暗示比各位讀者想像得更有效果。或許有些讀者會覺得「這是騙人的吧」，但請大家有機會務必試看看，一定會對自我暗示的效果感到吃驚。
一邊想著工作很能幹的前輩或是上司，一邊對自己說「我就是〇〇」，或許就能俐落地解決工作。

專欄5　自卑會在兩週內消失

每個人或多或少都有一些自卑，例如覺得自己鼻子很大，很矮或是毛髮很濃，每個人的自卑也不盡相同。

最後要介紹一個消除這類自卑的方法。

加拿大麥基爾大學教授愛莉森凱莉（Allison Kerry）曾透過網路與報紙募集「有青春痘煩惱的人」，結果共有七十五位報名，年齡層的分佈為十八至三十八歲。

凱莉要求這些受測者自己思考，哪些台詞能消除自卑，然後要求他們連續兩週，每天朗誦這套台詞三次。

順帶一提，這些受測者設計的台詞如下。

「每個人都會為了青春痘而煩惱，我跟別人沒什麼不一樣」

「就算朋友長了青春痘，我也不會討厭他，還會感同身受」

「怎麼可能因為長了青春痘就被別人嫌棄」

兩週的實驗期間結束後，凱莉發現每位受測者都不再自卑與抑鬱，也不再以青春痘為恥。可見這種透過語言激勵自己的作戰非常成功。

一天說三次，替自己施加自我暗示

就算真的能消除自卑，但有些人可能不知道該怎麼設計台詞。此時可試著讀一些自我激勵書籍，或是找一些值得參考的名言，然後抄下來，每天念三次給自己聽。

「誰說薪水低就找不到情人的」

「誰說學歷低就得被當成笨蛋」

「這世上一堆人離過婚，我又算什麼」

只要不斷地對自己這麼說，久而久之，自卑就會消失。

〆結語

你就是自己的人生的主角。照理說，一切都是由自己作決定，但是我們常常因為各種外在因素而無法自己作主。

於是人生的步調被這些因素打亂。

這會對我們的心理造成各種影響。

本書為了這些步調被打亂的人，提供了許多維持步調的方法。但願各位在實踐這些方法之後，內心能變得輕鬆一點。

希望大家都能擁有幸福快樂的人生。

最後，讓我再提供一個建議就好。

不被別人牽著鼻子走固然重要，但這不代表我們就該變得頑固，就能恣意妄為，還請大家務必記住這點。

比方說，大家一起決定旅行地點時，明明大家都很想去「海邊」，你卻大喊「當然是去山上啊，要旅行當然是去山上」，只會讓別人失望。

又或者大家要一起去吃飯的時候，明明每個人都想去義大利餐廳，你卻硬是要大家跟你去中式餐廳，這樣只會讓別人很痛苦。

這時候不妨就從善如流吧。

簡單來說，就是希望大家能夠臨機應變，決定自己是否要配合別人。這也是建立圓滑的人際關係所需的祕訣。活在現實世界就是有時要提出意見，有時要順應別人的想法。

希望大家不要成為那種我行我素，打亂別人步調也毫不在意的人。

最後要藉這個機會感謝於本書執筆之際，給予許多幫助的德間書店野間裕樹先生。

也非常感謝願意讀到最後的讀者，真的非常感謝。但願有朝一日能遇見各位。也容我在此停筆。

內藤誼人

參考文獻

- Roberts, T. A., & Arefi-Afshar, Y. 2007 Not all who stand tall are proud: Gender differences in the proprioceptive effects of upright posture. Cognition and Emotion ,21, 714-727.
- Ronen, S., & Baldwin, M. W. 2010 Hypersensitivity to social rejection and perceived stress as mediators between attachment anxiety and future burnout: A prospective analysis. Applied Psychology: An international review ,59, 380-403.
- Rothbard, N. P., & Wilk, S. L. 2011 Waking up on the right or wrong side of the bed: Start-of-workday mood, work events, employee affect, and performance. Academy of Management Journal ,54, 959-980.
- Schaller, M., Asp, C. H., Rosell, M. C., & Heim, S. J. 1996 Training in statistical reasoning inhibits the formation on erroneous group stereotypes. Personality and Social Psychology Bulletin,22, 829-844.
- Schubert, T. W., & Koole, S. L. 2009 The embodied self: Making a fist enhances men's power-related self-conceptions. Journal of Experimental Social Psychology ,45, 828-834.
- Smeesters, D., & Mandel, N. 2006 Positive and negative media image effects on the self.Journal of Consumer Research, 32, 576-582.
- Snodgrass, S. E., Higgins, J. G., & Todisco, L. 1986 The effects of walking behavior on mood. Paper presented at the Annual Convention of the American Psychological Association.
- Stice, E., Spoor, S., Bohon, C., Veldhuizen, M., & Small, D. 2008 Relation of reward from food intake and anticipated food intake to obesity: A functional magnetic resonance imaging study. Journal of Abnormal Psychology, 117, 924-935.
- Stone, M. R., Thomas, K., Wilkinson, M., Jones, A. M., Gibson, A. S. C., & Thompson, K.G. 2012 Effects of deception on exercise performance: Implications for determinants of fatigue in humans. Medicine and Science in Sports and Exercise, 44, 534-541.
- Strack, F., Martin, L. L., & Stepper, S. 1988 Inhibiting and facilitating conditions of the human smile: A nonobtrusive test of the facial feedback hypothesis. Journal of Personality and Social Psychology ,54, 768-777.
- Suedfeld, P., Roy, C., & Landon, P. B. 1982 Restricted environmental stimulation therapy in the treatment of essential hypertension. Behavior Research and Therapy ,20, 553-559.
- Sunday Express. 2016 Feeling blue? Key to happiness is eating yellow food. October, 13.

- Sunstein, C. R., Bobadilla-Suarez, S., Lazzaro, S. C., & Sharot, T. 2017 How people update beliefs about climate change: Good news and bad news. Cornell Law Review, 102, 1431-1443.
- Tepper, B. J., Uhl-Bien, M., Kohut, G. F., Rogelberg, S. G., Lockhart, D. E., & Ensley, M. D. 2006 Subordinates' resistance and managers' evaluations of subordinates' performance. Journal of Management ,32, 185-209.
- Tiger, J. H., & Hanley, G. P. 2006 Using reinforcer pairing and fading to increase the milk consumption of a preschool child. Journal of Applied Behavior Analysis,39, 399-403.
- Marks, M., & Harold, C. 2011 Who asks and who receives in salary negotiation. Journal of Organizational Behavior ,32, 371-394.
- Martin, J. J., Pamela, A. K., Kulinna, H., & Fahlman, M. 2006 Social physique anxiety and muscularity and appearance cognitions in college men. Sex Roles,55, 151-158.
- McFall, R. M., & Marston, A. R. 1970 An experimental investigation of behavior rehearsal in assertive training. Journal of Abnormal Psychology ,76, 295-303.
- Medvec, V. H., Madey, S. F., & Gilovich, T. 1995 When less is more: Counterfactual thinking and satisfaction among Olympic medalists. Journal of Personality and Social Psychology,69, 603-610.
- Mesagno, C., Marchant, D., & Morris, T. 2009 Alleviating choking: The sounds of distraction. Journal of Applied Sport Psychology ,21, 131-147.
- Muehlenhard, C. L., & Hollabaugh, L. C. 1988 Do women sometimes say no when they mean yes? The prevalence and correlates of women's token resistance to sex. Journal of Personality and Social Psychology ,54, 872-879.
- Mueller, J. S., Goncalo, J. A., & Kamdar, D. 2011 Recognizing creative leadership: Can creative idea expression negatively relate to perceptions of leadership potential? Journal of Experimental Social Psychology, 47, 494-498.
- Nasco, S. A., & Marsh, K. L. 1999 Gaining control through counterfactual thinking.Personality and Social Psychology Bulletin ,25, 556-568.
- Nauroth, P., Gollwitzer, M., Bender, J., & Rothmund, T. 2014 Gamers against science: The case of the violent video games debate. European Journal of Social Psychology ,44, 104-116.
- Neff, L. A., & Broady, E. F. 2011 Stress resilience in early marriage: Can practice make perfect? Journal of Personality ana Social Psychology ,101, 1050-1067.

- Nyhus, E. K., & Pons, E. 2005 The effects of personality on earnings. Journal of Economic Psychology ,26, 363-384.
- Offer, D., & Schonert-Reicl, K. A. 1992 Debunking the myths of adolescence:Finding from recent research. Journal of American Academy of Child & Adolescent Psychiatry ,31, 1003-1014.
- Peskin, M., & Newell, E. N. 2004 Familiarity breeds attraction; Effects of exposure on the attractiveness of typical and distinctive faces. Perception, 33, 147-157.
- Primack, B. A., Shensa, A., Sidani, J. E., Whaite, E. O., Lin, L., Rosen, D., Colditz, J. B., Radovic, A., & Miller, E. 2017 Social media use and Perceived social isolation among young adults in the United States. American Journal of Preventive Medicine, 53, 1-8.
- Rabinowitch, T. C. & Knafo-Noam, A. 2015 Synchronous rhythmic interaction enhances children's perceived similarity and closeness towards each other. PLOS ONE, 10,0120878.
- Raikov, V. L. 1976 The possibility of creativity in the active stage of hypnosis. International Journal of Clinical and Experimental Hypnosis,24, 258-268.
- Hodge, K., & Smith, W. 2014 Public expectation, pressure, and avoiding the choke: A case study from elite sport. The Sport Psychologist,28, 375-389.
- Holland, G., & Tiggemann, M. 2016 A systematic review of the impact of the use of social networking sites on body image and disordered eating outcomes. Body Image ,17, 100-110.
- Houston, J. M., Harris, P. B., Moore, R., Brummett, R., & Kametani, H. 2005 Competitiveness among Japanese, Chinese, and American undergraduate students. Psychological Reports,97, 205-212.
- Jamieson, J. P., Mendes, W. B., Blackstock, E., & Schmader, T. 2010 Turning the knots in your stomach into bows: Reappraising arousal improves performance on the GRE. Journal of Experimental Social Psychology,46, 208-212.
- Joel, S., Teper, R., & MacDonald, G. 2014 People overestimate their willingness to reject potential romantic partners by overlooking their concern for other people. Psychological Science, 25, 2233-2240.
- Jordet, G. 2009 Why do English players fail in soccer penalty shootouts? A study of team status, self-regulation, and choking under pressure. Journal of Sports Sciences ,27, 97-106.
- Kang, S. K., DeCelles, K. A., Tilsik, A., & Jun, S. 2016 Whitened Résumés: Race and self-presentation in the labor market. Administrative

Science Quarterly, 61,469-502.

- Karr-Wisniewski, P., & Lu,Y. 2010 When more is too much:Operationalizing technology overload and exploring its impact on knowledge worker productivity. Computers in Human Behavior,26, 1061-1072.
- Kelly, A. C., Zuroff, D. C., & Shapira, L. B. 2009 Soothing oneself and resisting self-attacks: The treatment of two intrapersonal deficits in depression vulnerability. Cognitive Therapy and Research, 33, 301-313.
- Kerr, S. 1975 On the folly of rewarding A, while hoping for B. Academy of Management Journal, 18, 769-783.
- Lee, E. H., & Schnall, S. 2014 The influence of social power on weight perception. Journal of Experimental Psychology:General,143, 1719-1725.
- Legrand, F. D., & Apter, M. J. 2004 Why do people perform thrilling activities? A study based on reversal theory. Psychological Reports, 94, 307-313.
- Levinson, W., Roter, D. L., Mullooly, J. P., Dull, V. T., & Frankel, R. M. 1997 Physician-patient communication: The relationship with malpractice claims among primary care physicians and surgeons. Journal of the American Medical Association ,277, 553-559.
- Levitt, M. J., Silver, M. E., & Franco, N. 1996 Troublesome relationships: A part of human experience. Journal of Social and Personal Relationships,13, 523-536.
- Lucas, J. L., & Heady, R. B. 2002 Flextime commuters and their driver stress, feelings of time urgency, and commute satisfaction. Journal of Business and Psychology ,16, 565-572.
- Gerontology: Psychological Sciences ,51B, 364-373.
- Cash, T. F., Dawson, K., Davis, P., Bowen, M., & Galumbeck, C. 1989 Effects of cosmetics use on the physical attractiveness and body image of American college women. Journal of Social Psychology, 129, 349-355.
- Collins, S. A., & Missing, C. 2003 Vocal and visual attractiveness are related in women. Animal Behaviour ,65, 997-1004.
- Coulthard, P., & Fitzgerald, M. 1999 In God we trust? Organised religion and personal bellets as resourses and coping strategies, and their implications for health in parents with a child on the autistic spectrum. Mental Health, Religion & Culture, 2, 19-33.
- Cummings, P., Grossman, D. C., Rivara, F. P., & Koepsell, T. D. 1997 State gun safe storage laws and child mortality due to firearms. Journal of the American Medical Association, 278, 1084-1086.

- Tunction of game pressure: A drive theory analysis. ournat oi Applied Socia Psycholesy 22, 714-735.
- Deci, E. L., Betley, G., Kahle, J., Abrams, L., & Porac, J. 1981 When trying to win: Competition and intrinsic motivation. Personality and Social Psychology ,7, 79-83.
- Doll, J., Livesey, J., McHaffie, E., & Ludwig, T. D. 2007 Keeping an uphill edge: Managing cleaning behaviors at a ski shop. Journal of Organizational Behavior Management ,27, 41-60.
- Feldman, D. C., & Leana, C. R. 2000 A study of reemployment challenges after downsizing. Organizational Dynamics,29, 64-75.
- Flynn, F. J., & Lake, V. K. B. 2008 If you need help, just ask: Understanding compliance with direct requests for help. Journal of Personality and Social Psychology ,95, 128-143.
- Garrison, K. E., Tang, D., & Schmeichel, B. J. 2016 Embodying power: A preregistered replication and extension of the power pose effect. Social Psychological and Personality Science ,7, 623-630.
- Gerhart, B., & Rynes, S. 1991 Determinants and consequences of salary negotiations by male and female MBA graduates. Journal of Applied Psychology ,76, 256-262.
- Groysberg, B., & Lee, L. E. 2008 The effect of colleague quality on top performance: The case of security analysts. Journal of Organizational Behavior ,29, 1123-1144.
- Hamilton, S. K., & Wilson, J. H. 2009 Family mealtimes. Worth the effort? Infant, Child, & Adolescent Nutrition, 1, 346-350.
- Henagan, S. C., & Bedeian, A. G. 2009 The perils of success in the workplace: Comparison target responses to coworkers' upward comparison threat. Journal of Applied Social Psychology,39, 2438-2468.
- Henley, A. J., & Reed, F. D.D. 2015 Should you order the feedback sandwich? Efficacy of feedback sequence and timing. Journal of Organizational Behavior Management,35, 321-335.
- Abdel-Khalek, A. M., & El-Yahfoufi, N. 2005 Wealth is associated with lower anxiety in a sample of Lebanese students. Psychological Reports,96, 542-544.
- Alden, L., & Cappe, R. 1981 Nonassertiveness: Skill deficit or selective self-evaluation? Behavior Therapy, 12, 107-114.
- Ardoin, S. P., Williams, J. C., Klubnik, C., & McCall, M. 2009 Three versus six rereading of practice passages. Journal of Applied Behavior Analysis,42, 375-380.

- Avert rigital apulation of vocale motion alter speakers emotatana states in16 emotional states in a congruent direction. Proceedings of the National Academy of Sciences of the United States of America, 114, 948-953.
- Austin, J., Weatherly, N. L., & Gravina, N. E. 2005 Using task clarification, graphic feedback and verbal feedback to increase closing-task completion in a privately owned restaurant. Journal of Applied Behavior Analysis,38, 117-120.
- Managemen for adenol use reduction: A ii study us cola ranse mol a continensor. Drug and Alcohol Dependence, 118, 391-399.
- Barton, J., & Pretty, J. 2010 What is the best dose of nature and green exercise for improving mental health? A multi-study analysis. Environmental Science & Technology, 44, 3947-3955.
- Bonanno, G. A. 2008 Loss, trauma, and human resilience:Have we underestimated the human capacity to thrive after extremely aversive events? Psychological Trauma: Theory, Research, Practice, and Policy ,S, 101-113.
- Boterberg, S. & Warreyn, P. 2016 Making sense of it all: The impact of sensory processing sensitivity on daily functioning of children. Personality and Individual Differences,92, 80-86.
- Bridges, F. S., & Coady, N. P. 1996 Affiliation, urban size, urgency, and cost of responses to lost letters. Psychological Reports,79, 775-780.
- Briñol, P., Petty, R. E., & Wagner, B. 2009 Body postures effects on self-evaluation: A self-validation approach. European Journal of Social Psychology,39, 1053-1064.
- Brown, G., & Baer, M. 2011 Location in negotiation: Is there a home field advantage? Organizational Behavior and Human Decision Processes, 114, 190-200.
- Brown, H. N., Saunders, R. B., & Dick, M. J. 1999 Preventing secondary pregnancy in adolescents: A model program. Health Care for Women International ,20, 5-15.
- Brown, S., Taylor, K., & Price, S. W. 2005 Debt and distress: Evaluating the psychological cost of credit. Journal of Economic Psychology ,26, 642-663.
- Buehler, R., Griffin, D., & Ross, M. 1994 Exploring the "Planning Fallacy": Why people underestimate their task completion times. Journal of Personality and Social Psychology , 67, 366-381.
- Burgio, L., Scilley, K., Hardin, J. M., Hsu, C., & Yancey, J. 1996 Environmental "White Noise": An intervention for verbally agitated nursing home residents. Journal of

國家圖書館出版品預行編目（CIP）資料

練習不被人影響：保持自己步調踏出舒適圈的 50 個實踐法 / 內藤誼人作；許郁文譯 . -- 初版 . -- 臺北市：墨刻出版股份有限公司出版：英屬蓋曼群島商家庭傳媒股份有限公司城邦分公司發行 , 2024.10
面； 公分
譯自：振り回されない練習：「自分のペース」をしっかり守るための 50 のヒント
ISBN 978-626-398-065-5（平裝）

1.CST: 自我實現 2.CST: 生活指導 3.CST: 人際關係

177.2　　　113012985

墨刻出版 知識星球 叢書

練習不被人影響

保持自己步調踏出舒適圈的 50 個實踐法

振り回されない練習 「自分のペース」をしっかり守るための 50 のヒント

作　　者　內藤誼人
譯　　者　許郁文
責任編輯　林彥甫
美術編輯　李依靜
行銷企劃　周詩嫻

發 行 人　何飛鵬
事業群總經理　李淑霞
社　　長　饒素芬
出版公司　墨刻出版股份有限公司
地　　址　115 台北市南港區昆陽街 16 號 7 樓
電　　話　886-2-2500-7008
傳　　真　886-2-2500-7796
EMAIL　service@sportsplanetmag.com
網　　址　www.sportsplanetmag.com

發　　行　英屬蓋曼群島商家庭傳媒股份有限公司城邦分公司
地址：115 台北市南港區昆陽街 16 號 5 樓
讀者服務電話：0800-020-299
讀者服務傳真：02-2517-0999
讀者服務信箱：csc@cite.com.tw
城邦讀書花園：www.cite.com.tw

香港發行　城邦（香港）出版集團有限公司
地址：香港灣九龍土瓜灣土瓜灣道 86 號順聯工業大廈 6 樓 A 室
電話：852-2508-6231
傳真：852-2578-9337

馬新發行　城邦（馬新）出版集團有限公司
地址：41, Jalan Radin Anum, Bandar Baru Sri Petaling, 57000 Kuala Lumpur, Malaysia
電話：603-90578822
傳真：603-90576622

經 銷 商　聯合發行股份有限公司（電話：886-2-29178022）、金世盟實業股份有限公司
製　　版　漾格科技股份有限公司
印　　刷　漾格科技股份有限公司
城邦書號　LSK012X

ISBN 978-626-398-065-5（平裝）
EISBN 9786263980631（EPUB）
EAN 4717702126292
定價 NTD 360
2024 年 10 月初版
2024 年 12 月再版